Aktuelle Phrasen in Deutsch
気持ちが伝わる!
ドイツ語
リアルフレーズ
BOOK [新装版]

滝田佳奈子[著]

研究社

はじめに

　昔はドイツ語を学ぶ方は、医学、理工学、法学、音楽、ドイツ学（Germanistik）などに従事していることが多く、その一番の目的は学問や知識の輸入でした。今日では、それ以外に人それぞれ異なった動機・目標をもっていらっしゃり、とりわけ何らかのコミュニケーション手段にしたいという方が増えてきました。

　逆に、日本からも工業製品、柔道、生け花ばかりでなく、「Manga」が輸出され、ドイツでの浸透ぶりには目を見張るものがあります。「漫画で学ぶ日本語」や「漫画を読むための日本語講座」が若者に人気で、「日本人もびっくり」のかなりくだけた日本語が飛びかいます。

　ドイツ語の教科書・参考書は数多くありますが、そこではなかなか見つからないようなネイティブならではの言い回し、日常会話で使われる生きた口語が、ドイツ語にもたくさんあります。

　本書は、そのような表現を学びたい方のために、ドイツ語圏でよく使われる便利なフレーズを487集めました。中にはフレーズではなく、単語だけで使える短い見出しもあります。それらを「ベーシック」「喜怒哀楽」「意見・主張」「依頼・忠告」「励まし・慰め」「遊び・グルメ」「恋愛」「ビジネス」「応用・慣用句」の9つのチャプター（Kapitel）に分け、使い方のイメージがわくよう、男女の短い対話の中におり込みました。あなたはどんなテーマに興味がありますか？　どこから読み始めますか？

　この本の大部分はウィーン滞在中に執筆しました。その際、ここには書ききれないくらい多くのドイツ・オーストリアの人たちにアイディアやアドバイスをいただきました。一冊の本を作るには多くの方のお力添えが必要ですが、なかでも研究社の鎌倉彩さんと星野龍さんには、企画段階から本が完成するまで終始お世話になりました。また、先輩の清水薫さんには校正段階で、ナレーション担当のAndreas MeyerさんとNadine Kaczmarekさんにも貴重な助言をいただきました。ここに心から御礼申し上げます。

　この本で一つでも多くの気に入った表現、目からウロコの使い方を見つけて、ぜひ実際に使ってみてください。ドイツ人は一般に自分たちの言語が難しいと思っているので、きっと目を丸くするでしょう。それをきっかけに、みなさまのドイツ語学習や国際交流がますます楽しく発展することを切に祈っております。

滝田佳奈子

この本の使い方 ～より効果的な勉強方法～

　この本は9つのチャプターに分けて、実際の会話でも良く使われるフレーズを、語数の少ない順に配列しています。それぞれ

1. 見出しフレーズ（ドイツ語、ルビ、日本語訳）
2. ダイアログ（ドイツ語、日本語訳）
3. 注釈

の順に並んでいます。どうやって勉強しようか？　という方のために、以下の勉強方法をご提案します。

◇ Step 1: 見出しフレーズだけチェック！
ひたすら見出しフレーズだけを見ていきましょう。短いフレーズをどんどん声に出して、覚えましょう。ぜひとも使いたいフレーズはチェック。

◇ Step 2: ダイアログ全体をチェック！
ダイアログでは、見出しフレーズをどのように使うかがよりわかる仕組みになっています。また、ダイアログの中にも「これ、使える！」と思わせる便利な言い回しがたくさん隠れているので、あわせてチェック！

◇ Step 3: 新出単語をチェック！
ダイアログには、通常のテキストではなかなか見られない、でもよく使う語彙を豊富に盛り込みました。ドイツ語ならではの言い回しや、初めての単語に出会ったら、注釈を見たり、辞書を引いたりして確認してください。

◇ Step 4: 文法事項もチェック！
文法事項もあわせて理解できれば、いっそうのレベルアップが期待できます。注釈の動詞構文はできるだけ不定詞句で表しました。これは主語が変わっても、時制が変わっても、文の種類が変わっても順応できるように、応用力をつけるためです。中には、構成要素は同じなのに、見出しフレーズの語順とダイアログの語順が異なる場合があるのにお気づきでしょうか。これは、見出しフレーズではオーソドックスに正置（S+V）を、ダイアログでは実際によく使われる倒置（V+S）を使っているためです。ドイツ語の定動詞の位置はとても大切なので（平叙文では第2位）、くれぐれも3番目や4番目に置いてしまうことがないよう、正置も倒置も練習して慣れることをおすすめします。

◇ Step 5：索引で再確認！
巻末には、ドイツ語、日本語の索引がついています。それぞれ眺めながら、このフレーズはどう使うんだっけ？ 日本語訳は何だっけ？ ドイツ語でどう言うんだっけ？ と思い返してみてください。なお、ドイツ語索引は、見出しフレーズ中のキーワードから引けるようになっています。

◇ Step 6：置き換えできる余裕を！
見出しフレーズは、あたかも固定表現のように出ていますが、実際はそうではありません。とりあえずは「まる覚え」でもかまいませんが、余裕が出てきたら、ほかの名詞、形容詞、動詞に置き換えできないかな？ と考えることも大切です。イメージをふくらませ、幅広い表現ができるようにしましょう。ほとんどが親しい間の会話なので、親称の du や ihr が使われていますが、「ビジネス」の章や道を尋ねるときなどの会話では敬称の Sie を使っています。慣れてきたら、親称を敬称に、敬称を親称に変える練習もしてみてください。

記号説明

- ★　注釈
- ＝　言い換え・同義語
- ≒　類義語
- ⇔　反対語
- ⇒　〜番の見出しフレーズを参照

j^3　人3格
j^4　人4格
et^3　物・事3格
et^4　物・事4格
3格・4格　人・物・事すべてに使える場合

音声について

　本書の音声（MP3）は、研究社ウェブサイト（https://www.kenkyusha.co.jp/）から以下の手順でダウンロードできます。

（1）研究社ウェブサイトのトップページより「音声・各種資料ダウンロード」にアクセスし、一覧の中から「気持ちが伝わる！ ドイツ語リアルフレーズ BOOK[新装版]」を選んでください。
（2）上記から開いたページで「音声ダウンロードはこちら」をクリックすると、ユーザー名とパスワードの入力が求められます。ユーザー名とパスワードは以下のように入力してください。
　　ユーザー名：guest
　　パスワード：German2025Download
（3）ユーザー名とパスワードが正しく入力されると、ファイルのダウンロードが始まります。PC でダウンロード完了後、解凍してご利用ください。

　音声ファイルには「見出しフレーズの日本語訳」と「ドイツ語の対話例」が収録されています。音声ファイルの番号は、見開き 2 ページごとに、偶数ページの左端に表示していますので、ご参照ください。

●スマートフォンやタブレット端末で直接ダウンロードされる場合は、解凍ツールと十分な容量が必要です。ご自身で解凍用アプリなどをご用意いただく必要があります。

[ナレーション]
Andreas Meyer　（NHK 国際放送局アナウンサー、上智大学・Goethe-Institut 講師）
Nadine Kaczmarek　（Goethe-Institut 講師）
鈴木加奈子　（元静岡第一テレビアナウンサー。現在はナレーター・MC として活動するほか、
　　　　　　　大学で留学生の日本語指導にあたる）

[収録時間] 約 92 分

発音とカタカナルビについて

　本書では見出しフレーズにだけカタカナルビがついています。ドイツ語の発音は日本語のローマ字に近く、ふつう教科書の最初に載っているローマ字との違いさえ覚えれば、たいていの方は数か月でドイツ人に通じるように発音できるようになります。カタカナルビは単純な表記を心がけたため、カタカナでは表せない次のようなドイツ語の発音は、音声をよく聞いてご確認ください。

① 日本人が不得意な R（巻き舌またはのどひこを震わせる）と L（舌を上の歯の裏にしっかりつける）の使い分けは、間違えると通じなかったり、誤解が生じたりする危険があります。カタカナ表記は両方とも「ラリルレロ」になっていますが、ドイツ語は R か L か確かめて、くり返し音声を聞いてまねをしてください。ある日突然 R ができるようになることもあります。同様に「フ」には F（下唇を上の歯につける）場合と H（唇は丸くとがらせるだけ）の場合があります。

② 語末や音節末の -t や -d は英語にもある [t] の発音ですが、日本語にはありません。簡素化のために「トゥ」ではなく「ト」と短く表記しましたが、to のように母音 o を入れてしまわないよう気をつけてください。

③ ドイツ語の母音 U は、日本語の「ウ」より口をとがらせて「オ」に近くなります。辞書によっては「オ」と表記してあるのもありますが、「オ」とも違う中間音なので、本書では「ウ」のままで統一しました。同様の理由から Ü（u の口の形で i と発音）は小さな「ュ」で、Ö（o の口の形で e と発音）は「エ」で、Ä（a の口の形で e と発音）も「エ」で表しました。

INHALTVERZEICHNIS

はじめに……………………………………… iii
この本の使い方……………………………… iv
記号説明……………………………………… v
音声について………………………………… vi
発音とカタカナルビについて……………… vii

◇ Kapitel 1　ベーシックフレーズ……………………… 1
◇ Kapitel 2　喜怒哀楽フレーズ………………………… 33
◇ Kapitel 3　意見・主張フレーズ……………………… 63
◇ Kapitel 4　依頼・忠告フレーズ……………………… 85
◇ Kapitel 5　励まし・慰めフレーズ…………………… 101
◇ Kapitel 6　遊び・グルメフレーズ…………………… 115
◇ Kapitel 7　恋愛フレーズ……………………………… 133
◇ Kapitel 8　ビジネスフレーズ………………………… 149
◇ Kapitel 9　応用・慣用句フレーズ…………………… 165

ドイツ語索引………………………………… 195
日本語索引…………………………………… 202

Kapitel 1

ベーシック フレーズ

あいづちや受け答え、日常のあいさつなど、
どんな場面でも使える、短くて便利なフレーズを集めました。
コミュニケーションの始まりは、簡単な言葉のやりとりから。

1 Einverstanden.
[アインフェアシュタンデン]
▶ 了解。

A : Wollen wir essen gehen?
B : **Einverstanden.** Ich habe Hunger wie ein Bär.

　A : 食事に行こうか？
　B : 了解。おなかペコペコ。

★Einverstanden. は Ich bin einverstanden. (私は了承した) の省略。
★Hunger wie ein Bär haben …熊のように空腹だ。

2 Sicher!
[ズィヒャー]
▶ もちろん！

A : Isst du den Kuchen?
B : **Sicher!** Kann ich auch Kaffee haben?

　A : このケーキ食べる？
　B : もちろん！ コーヒーももらえる？

★sicher …きっと、確かに、もちろん ≒ bestimmt, gewiss, natürlich, selbstverständlich, freilich

3 Wirklich?
[ヴィルクリヒ]
▶ ほんと？

A : Der Direktor kommt.
B : **Wirklich?** Tun wir so, als ob wir in die Arbeit vertieft sind.

　A : 社長が来たぞ。
　B : ほんとう？ 真面目に仕事してるふりしなきゃ。

★wirklich …ほんとうに ≒ echt, tatsächlich
★als ob …まるで〜なように。非現実なので、たいてい接続法第２式とともに使う。英語の as if にあたる。
★in et⁴ vertieft sein … 〜に没頭している。

4 Genau!
[ゲナウ]
▶ そのとおり！

A : Die Lebensmittel sind teurer geworden.
B : **Genau!** Vor allem Gemüse!

 A : 食料品が値上がりしたね。
 B : そのとおり！ 特に野菜がね。

★genau! …まさにそのとおり。ほかに、Du hast recht. (あなたの言うとおりだ)、Das stimmt. (⇒ 32)、Das ist richtig. (それは正しい) などの言い方もある。
★vor allem …とりわけ、何にもまして ≒ besonders (特に)。

5 Meinetwegen.
[マイネットヴェーゲン]
▶ いいよ／かまわないよ。

A : Kannst du mir für die Gäste aus dem Keller Wein holen?
B : **Meinetwegen.**

 A : お客さんのために地下室からワインを持ってきてくれる？
 B : かまわないよ。

★この mir は「私が喜ぶように、私の代わりに」の気持ちが込められた3格。
★Keller …地下室。ドイツの家・マンションにはたいていあり、ワインやじゃがいも、ピクルスなどの貯蔵のほか、物置き、洗濯機置き場などとして使われる。
★meinetwegen …私ならいいよ。ま、しょうがないな。≒ von mir aus, wenn es sein muss (⇒ 53)。

6 Allerdings.
[アラーディングス]
▶ もちろん。

A : Kannst du deiner Freundin blind vertrauen?
B : **Allerdings.** Mit ihr kann ich Pferde stehlen.

 A : 君、親友のこと盲信できる？
 B : もちろん。彼女となら何でもいっしょにやれる。

★j³ blind vertrauen … ～を無条件に何でもかんでも信頼する、盲信する。
★allerdings …決定疑問文の答えとして「もちろんだ」。ja (はい) より強い。答えではない allerdings は、先行する内容を限定して「しかしながら、ただし」の意。
★mit j³ Pferde stehlen können …頼りにできる、何でもいっしょにやれる。直訳は「～といっしょに馬を盗める」。

KAPITEL 1   3

7 Klar!
[クラー]
▶ **あたりまえだよ。**

A: Kommst du mit?
B: **Klar!** Ich hatte es ja eigentlich vorgeschlagen.

> A: いっしょに行く？
> B: あたりまえだよ。僕が言い出したんだから。

★klar …直訳は「明白な」。Na klar! とも言う。
★ja は先行する発言を理由づける「～だから」。eigentlich は「そもそも」。

8 Jein.
[ヤイン]
▶ **どちらとも言える。**

A: Machst du mit deinem Japanischlernen Fortschritte?
B: **Jein,** ich bin jetzt in der Oberstufe, aber seit einiger Zeit komme ich nicht vom Fleck.

> A: 日本語の勉強は上達した？
> B: どちらとも言える。上級にはなったんだけど、最近壁にぶつかってて。

★jein は ja と nein がくっついたもので、「はい」でも「いいえ」でもある場合、くだけた会話で使われる。
★mit et³ nicht vom Fleck kommen …にっちもさっちもいかない、進ちょくしない。直訳は「～に関してはその地点から離れない」。

9 Hoffentlich.
[ホッフェントリヒ]
▶ **そうだといいけど。**

A: Ist er wohl schon angekommen?
B: **Hoffentlich.** Soll ich ihn anrufen?

> A: 彼はもう無事着いたかな？
> B: そうだといいけど。電話してみましょうか？

★hoffentlich …願わくば ≒ ich hoffe, wir hoffen

10 wahrscheinlich
[ヴァーシャインリヒ]
▶ たぶん

A: Er ist **wahrscheinlich** krank.
B: Vielleicht schwänzt er.

> A: 彼はたぶん病気だ。
> B: ひょっとしたらずる休みかもよ。

★wahrscheinlich …たぶん ≒ wohl（おそらく）。sicher（きっと）は確率が高くなり、vielleicht（ひょっとしたら）は確率が低くなる。
★schwänzen …（学校などを）サボる。

11 Natürlich.
[ナテューアリヒ]
▶ もちろん。

A: Wer hat das letzte Wort in deiner Familie?
B: **Natürlich** meine Frau.

> A: おたくではだれが決定権をもっているの？
> B: もちろん家内だ。

★das letzte Wort haben …決定権がある。直訳は「最後のことばをもっている」。
★natürlich …もちろん ≒ freilich, selbstverständlich

12 Eben!
[エーベン]
▶ まさにそうなんです！

A: Warst du auf dem Fuji? Es muss anstrengend gewesen sein.
B: **Eben!** Einmal reicht's.

> A: 富士登山したの？ たいへんだったでしょ。
> B: そのとおり！ 一度でじゅうぶん。

★anstrengend …骨の折れる、たいへんな、しんどい ＝ mühsam
★„muss ... gewesen sein" は「〜だったに違いない」の意。
★eben は「まさしくそのとおりだ」という相づち。„Ja, eben." とも言う。
★Einmal reicht's. は Einmal reicht es. の省略。「一回でそれは足りる」の意。

13 Denkste!
[デンクステ]
▶ だと思うでしょ？

A: Michaela will bei dem strengen Professor eine gute Note bekommen haben.
B: Denkste! Sie hat sich mit fremden Federn geschmückt. Sie hat nämlich mein Referat abgeschrieben.

　A: ミヒャエラはあの厳しい教授にいい点もらったって言ってるよ。
　B: とんでもない。彼女は人の手柄を横取りしたの。だって私のレポート写したんだもん。

★Michaela will …この wollen は主語の人の主張。
★denkste …君はそう思っているが、実は違うんだ。君の思い違いだ。君の見当違いだ。denkst du! に由来。
★sich⁴ mit fremden Federn schmücken …人の手柄を横取りする、人のふんどしで相撲をとる。直訳は「他人の羽で飾る」。
★abschreiben …書き写す、(試験で) カンニングする。

14 Ja, schon.
[ヤー　ショーン]
▶ まあ、そうなんだけど。

A: Hast du dich nicht darauf gefreut, am Sonntag endlich ausruhen zu können?
B: Ja, schon, aber meine Kinder wollten unbedingt mit mir in den Zoo gehen, bis ich schließlich klein beigab.

　A: 日曜日にはやっとゆっくり休めるって楽しみにしてたんじゃないの？
　B: まあそうなんだけど、子どもたちがどうしても動物園に行きたがって、結局折れたんだ。

★sich auf 4 格 freuen … ～を楽しみにする。
★ja, schon …限定つきの肯定を表す。ja なしで schon だけでも返答に使える。
★klein beigeben …あきらめて譲歩する、折れる。直訳は「(トランプで) 弱い札を出す」。

15 Kurz gesagt,
[クルツ ゲザークト]
▶ つまり／手短に言うと

A: Ich kann mich beim Lernen nicht lange konzentrieren.
B: **Kurz gesagt,** musst du das Lernen lernen.

　　A: 勉強のとき集中力が続かないんだ。
　　B: つまり、学習のしかたを学習しなくちゃだめね。

★sich⁴ konzentrieren …集中する。

★kurz gesagt …つまり、簡単に言うと。あとに続く文は正置されることもある（例: Kurz gesagt, du musst...）。ほかにも genauer gesagt（もっと厳密に言うと）、offen gesagt（率直に言うと）などと応用できる。

16 Mag sein.
[マーク ザイン]
▶ そうかもね。

A: Die beiden scheinen sich zu streiten.
B: **Mag sein.**

　　A: あの二人、けんかしてるみたいだ。
　　B: かもね。

★Mag sein. は Das mag sein. の省略。もう少し可能性が高い場合は (Das) kann sein.（それはありうる）と言う。

17 Ein bisschen.
[アイン ビスヒェン]
▶ ちょっとだけ。

A: Sprichst du Japanisch?
B: **Ein bisschen.**

　　A: 日本語しゃべれる？
　　B: ちょっとだけ。

★(nur) ein bisschen …ちょっとだけ。ここでは Ich spreche nur ein bisschen Japanisch. の省略。

18 Mit Freuden.
[ミット フロイデン]
▶ 喜んで。

A : Willst du mich zur Party begleiten?
B : **Mit Freuden.**

    A：パーティーにエスコートしてくれる？
    B：喜んで。

★mit Freuden …ここでは Mit Freuden begleite ich dich zur Party. の省略。gern(e) も同様に、依頼や誘いに応じる答えとして使われる。

19 Ganz meinerseits.
[ガンツ マイナーザイツ]
▶ こちらこそ。

A : Ich danke dir herzlich.
B : **Ganz meinerseits.**

    A：心から感謝してるよ。
    B：こちらこそ。

20 Keine Ahnung.
[カイネ アーヌング]
▶ さっぱりわかりません。

A : Weißt du, wo meine Brille ist?
B : **Keine Ahnung.**

    A：僕のメガネどこだか知ってる？
    B：さあ、知らない。

★Keine Ahnung. は Ich habe keine Ahnung.（私は予感をもたない）の省略。

21 Ich hab's.
[イヒ ハープス]

▶ わかった／あった／思い出した。

A : Was wollte ich im 1. Stock machen?
B : Das weiß ich auch nicht.
A : Ach, **ich hab's!**

　A：私、2階で何しようとしたんだっけ？
　B：僕にもわからないよ。
　A：あ、思い出した！

★im 1. Stock …読み方は im ersten Stock で、意味は「2階で」。「1階」は im Erdgeschoss（地上階）、「5階」は im vierten Stock.

★Ich hab's. は Ich habe es.（私はそれをもっている）の省略。

22 nicht wahr?
[ニヒト ヴァー]

▶ でしょ？

A : Du bist auch zur Party eingeladen, **nicht wahr?** Was bringst du ihnen mit?
B : Nichts.
A : Was? Man kann sie nicht mit leeren Händen besuchen.

　A：あなたもパーティーに招待されてるでしょ？ 何を持って行く？
　B：何も持って行かない。
　A：えっ？ 手ぶらじゃ行けないよ。

★nicht wahr? は平叙文の最後につけて、「でしょう？ 違いますか？ そうじゃないですか？」の意味。南部では gell? または gelt? とも言う。

★j^4 mit leeren Händen besuchen …手ぶらで、おみやげをもたずに〜を訪問する。mit leeren Händen kommen も同じ意味。ただし besuchen は他動詞（4格必須）、kommen は自動詞（4格なし）なので注意。kommen を使うと、上の対話例の最後の文は Man kann nicht mit leeren Händen zu ihnen kommen. となる。

KAPITEL 1

23 Es geht.
[エス ゲート]
▶ まあまあ。

A: Wie war die Prüfung?
B: **Es geht.**

> A: 試験はどうだった？
> B: まあまあ。

★Es geht. …まあまあだ、良くも悪くもない ≒ so lala

24 Und dann?
[ウント ダン]
▶ それからどうしたの？

A: Letzte Woche sind wir nach Nagano gefahren.
B: **Und dann?**

> A: 先週長野に行ったんだ。
> B: それからどうしたの？

★und dann? …それで？ それから？ und だけでも話の先を促すことができる。

25 Wer weiß?
[ヴェア ヴァイス]
▶ わかるもんか。

A: Ich hoffe, dass es in nächster Zeit kein großes Erdbeben gibt.
B: **Wer weiß?**

> A: しばらく大きな地震がないといいんだけど。
> B: わかるもんか。

★Wer weiß? …直訳は「誰がわかるか？」〈反語〉 ≒ Das weiß der Kuckuck. (⇒ 60)。

26 Guck mal!
[クック マール]
▶ ちょっと見て！

A: **Guck mal!** Da ist eine Kuh.
B: Geh nicht zu nah hin.

    A：見て見て！ 牛がいるよ。
    B：近づき過ぎるなよ。

★gucken は sehen と同じで主に北部で使われる。gucken の g は k の音なので注意。南部では schauen がよく使われ、Schau (mal)！と言う。

27 Sag mal,
[ザーク マール]
▶ 聞きたいんだけど、

A: **Sag mal,** wie macht man das?
B: Lass mich mal sehen!

    A：ねえ、聞きたいんだけど、これどうやるの？
    B：ちょっと見せて。

★Sag mal. …ねえ、聞きたいんだけど。直訳は「ちょっと言ってちょうだい」。これによって相手に「これから質問するから聞いていて」と注意を促すことができる。敬称の相手には Sagen Sie mal. と言う。

28 Worum geht's?
[ヴォルム ゲーツ]
▶ 何の話ですか？

A: **Worum geht's?**
B: Es geht um meine Studienzeit.

    A：何の話してるの？
    B：学生時代の話だよ。

★上の例と同じ意味で、Worum handelt es sich? —— Es handelt sich um meine Studienzeit. とも言う。
★「だれの話ですか？」は Um wen geht es? または Um wen handelt es sich?

KAPITEL 1

29 Danke, gleichfalls.
[ダンケ グライヒファルス]
▶ありがとう、あなたもね。

A: Schönen Abend!
B: **Danke, gleichfalls.**

　A: よい晩を。
　B: ありがとう、あなたも。

★gleichfalls …同様に。

30 Na, und?
[ナー ウント]
▶だからどうしたの？

A: Sie ist hässlich.
B: **Na, und?**

　A: 彼女ブスだな。
　B: だからどうしたって言うの？

★Na, und? …だからどうだと言うのか。相手の非難めいたことばに反発を表す。

31 Nichts passiert.
[ニヒツ パスィールト]
▶だいじょうぶです。

A: Oh, Verzeihung!
B: **Nichts passiert.**

　A: あっ、ごめんなさい。
　B: だいじょうぶだよ。

★Nichts passiert. …だいじょうぶ、平気です。(Es ist mir) nichts passiert. の省略。直訳は「(私には) 何も起きていない」。

32 Das stimmt.
[ダス シュティムト]
▶ そのとおり！

A : Man hat den Täter erwischt, nicht wahr?
B : **Das stimmt.** Die Nachbarn sagten im Fernsehen, er sei so nett, dass sie es nicht glauben könnten.

　A : 犯人つかまったんだって？
　B : そのとおり。近所の人はテレビで、いい人なのに信じられないって言ってた。

★erwischen …つかまえる ≒ festnehmen (逮捕する)。
★Das stimmt. …そのとおりです ≒ Das ist richtig. (それは正しい)。

33 unter Umständen
[ウンター ウムシュテンデン]
▶ 事情によっては

A : Hast du ein Mittel gegen Erkältung?
B : Ja, aber **unter Umständen** wirst du davon müde.

　A : 風邪薬ある？
　B : あるけど、場合によっては眠くなるよ。

★Mittel は薬の総称。ほかに Tablette (錠剤)、Pulver (粉薬)、Tropfen (滴剤)、Salbe (塗り薬) など。
★unter Umständen …事情・場合によっては。

34 im Gegenteil
[イム ゲーゲンタイル]
▶ 正反対だ／とんでもない

A : War der Film nicht langweilig?
B : Nein, **im Gegenteil**. Er war sehr spannend.

　A : 映画は退屈じゃなかった？
　B : いや、逆だよ。手に汗にぎるぐらいおもしろかった。

★im Gegenteil …逆だ、とんでもない。似ている語に im Gegensatz zu 3 格 (～とは反対に) という用法もある。例: Im Gegensatz zu mir ist mein Bruder ruhig. (私とは反対に、弟は静かだ)。
★spannend …ハラハラドキドキしておもしろい。interessant は興味深くておもしろい。lustig はゲラゲラ笑うようにおもしろい。

35 Und wie!
[ウント ヴィー]

▶ まったくだよ／本当にそのとおりなんだ。

A: Der Kaufmann hat dir schon wieder zugeredet, seine Waren zu kaufen, nicht wahr?
B: **Und wie!** Wenn das noch einmal vorkommt, platzt mir der Kragen.

　A: あのセールスマンはまた売りつけようとしたでしょ？
　B: ああ、ひどかったよ。またやられたら、僕の堪忍袋の緒が切れるよ。

★j³ zureden, zu 不定詞 (句) … ～するように～を説き勧める。
★Und wie! …ああ、猛烈にね。それもものすごく。もちろんですとも。決定疑問文に対して強い肯定とその程度の高さを表す。
★j³ platzt der Kragen …直訳は「服のえりが破裂する」。怒ると頭に血がのぼることから。

36 das heißt
[ダス ハイスト]

▶ つまり

A: Wann reist du ab?
B: Am dritten Mai, **das heißt** heute in acht Tagen.

　A: いつ出発するの？
　B: 5月3日、つまり来週の今日。

★das heißt …つまり、すなわち。直訳は「それは意味する」。「それはどういう意味か？」は Was heißt das?　ただし、Wie heißt das (auf Deutsch)? は「それは (ドイツ語で) 何と言うのか？ ＝ Wie sagt man das (auf Deutsch)?」という意味。
★heute in acht Tagen …来週の今日 (「今日」も数に入れる)。ただし「再来週の今日」は heute in vierzehn Tagen (「今日」は数に入れない)。

14　KAPITEL 1

37 So ist es.
[ゾー イスト エス]
▶ そうなんだよ。

A : Ich habe gehört, dass du jetzt einen Blog betreibst.
B : **So ist es.** Aber ich komme kaum dazu, ihn zu aktualisieren.

> A : ブログ始めたんだって？
> B : そうなんだ。忙しくてなかなか更新できないんだけど。

★Blog …ブログ。まだ中性名詞と男性名詞のどちらだか定着していない。

★So ist es. …そうなんだよ。動詞を過去形にして So war das. と言うと、「そうだったんだ」となる。

38 Um Gottes willen!
[ウム ゴッテス ヴィレン]
▶ とんでもない！

A : Arbeitest du noch? Willst du im Büro übernachten?
B : **Um Gottes willen!**

> A : まだ働いてるの？ 会社で夜を明かすつもり？
> B : とんでもない！

★Um Gottes willen! …とんでもない。直訳は「神の意思にかけて」。

39 Du weißt ja,
[ドゥー ヴァイスト ヤー]
▶ 知ってるでしょ。

A : Kannst du im nächsten Konzert mitsingen? Einige Sänger haben nämlich kurzfristig abgesagt.
B : **Du weißt ja,** dass ich nicht singen kann. Wollt ihr euch an einen Strohhalm klammern?

> A : 今度の音楽会でいっしょに歌ってくれない？ 何人が急に出られなくなったの。
> B : 僕が歌えないの知ってるだろ。わらにもすがる思いなの？

★„Du weißt ja, dass..." は「～なのは知っているはずだ」という意味。

★sich⁴ an einen Strohhalm klammern …わらにすがる。

KAPITEL 1

40 Lange nicht gesehen.
[ランゲ ニヒト ゲゼーエン]
▶ 久しぶり。

A : Klaus? **Lange nicht gesehen.**
B : Was machst du so?

　　A：クラウス？　久しぶり。
　　B：で、最近どうしてるの？

★lange nicht gesehen. …久しぶり。Wir haben uns lange nicht gesehen.の省略。直訳は「長いこと会わなかったね」。

★so …だいたい、おおざっぱに言って。叙述にあいまいさ、さりげなさを添える。

41 Es bleibt dabei.
[エス ブライブト ダバイ]
▶ 変わりない。

A : Fängt es beim Sturm auch um zehn Uhr an?
B : Ja, **es bleibt dabei.**

　　A：嵐なのにやっぱり10時に始まるの？
　　B：ああ、変わりない。

★Es bleibt dabei. …そう決めよう、変更しない。直訳は「そのままでとどまる」。

42 Na, siehst du.
[ナー ズィースト ドゥー]
▶ ほら、やっぱり。

A : Ich habe auch Grippe bekommen.
B : **Na, siehst du.**

　　A：僕もインフルエンザにかかっちゃった。
　　B：ほーら、ごらんなさい。

★Na, siehst du. …ほら、見ろ。≒ Na, da hast du's. (そら、言わんこっちゃない)。

43 Entschuldigen Sie bitte!

[エントシュルディゲン ズィー ビッテ]

▶ どうもすみません。

A : **Entschuldigen Sie bitte,** dass ich mit der Tür ins Haus falle, aber könnten Sie uns zwei Stühle leihen? Wir haben nämlich mehr Besuch als erwartet.

B : Ja, gerne.

> A : やぶから棒にお願いしてすみませんが、椅子を2つ貸していただけませんでしょうか？ 思ったより多くお客さんが来ちゃったもので。
> B : ええ、もちろん。

★mit der Tür ins Haus fallen …突然頼んでびっくりさせる、やぶから棒に願いをもちだす。直訳は「ドアといっしょに家の中に倒れ込む」。

44 Nichts zu danken.

[ニヒツ ツゥー ダンケン]

▶ 礼にはおよびません。

A : Vielen Dank!
B : **Nichts zu danken.**

> A : どうもありがとう！
> B : 礼にはおよびません。

★Vielen Dank. …直訳は「たくさんの感謝を」。形容詞と男性名詞 Dank の4格を使って、ほかに Herzlichen Dank. / Besten Dank. / Schönen Dank. / Tausend Dank. などと言える。また、動詞のdankenと副詞を使う例は (Ich) danke herzlich. / Danke sehr. / Danke bestens. / Danke schön. などで、主語 ich は省略されることが多い。

★Nichts zu danken. は Es ist nichts zu danken. の省略で、「感謝することは何も存在しない」という意味。

45 Weißt du was?
[ヴァイスト ドゥー ヴァス]
▶ ねえ、どうかな。

A: Mir ist langweilig.
B: **Weißt du was?** Hier in der Nähe wurde eine neue Kneipe eröffnet.

　A: 退屈だなあ。
　B: いい考えがあるんだけど、どうかな。近所に新しい居酒屋ができたんだよ。

★Mir ist langweilig. …私は退屈だ。Es ist mir langweilig. や Ich bin gelangweilt. また Ich langweile mich. も同じ。それに対して Ich bin langweilig. は「私は人を退屈させるつまらない人間だ」なので注意。

★Weißt du was? は「ねえ、いい考えがあるんだけど、どうかな」という提案の表現。直訳は「あることを知っているか」。この was は etwas のこと。

46 Was zum Beispiel?
[ヴァス ツム バイシュピール]
▶ たとえば何？

A: Japanische Küche ist gesund.
B: **Was zum Beispiel?**

　A: 和食は体にいいんだよ。
　B: たとえば何が？

★gesund sein …人や生き物が主語だと「健康だ」、それ以外は「健康にいい」。
★zum Beispiel …たとえば。

47 Hast du's kapiert?
[ハスト ドゥース カピールト]
▶ わかった？

A: Ab morgen haben wir Winterzeit, da wird die Uhr um eine Stunde zurückgestellt. **Hast du's kapiert?**
B: Ja, ja. Wir können morgen eine Stunde länger schlafen.

　A: 明日から冬時間だから、時計は１時間遅らせるんだよ。わかった？
　B: はいはい。明日は１時間長く眠れるんだよね。

★Hast du's kapiert? は Hast du es kapiert? の省略。
★kapieren (わかる) = verstehen (理解する) だが、イタリア語からの借用語 kapieren のほうがくだけたニュアンス。

48 Lass mich überlegen.
[ラス ミヒ ユーバーレーゲン]
▶ ちょっと考えさせて。

A : Wann treffen wir uns morgen?
B : **Lass mich überlegen.** Morgen kann ich gegen sieben Feierabend machen, deshalb kann ich erst gegen halb acht im Lokal sein.

   A：明日何時に待ち合わせようか？
   B：えーと、ちょっと考えさせて。明日は7時ごろ仕事が終わるから、7時半ごろやっとレストランに着くよ。

★Feierabend machen …仕事を終わりにする。職場での別れのあいさつは Schönen Feierabend! (⇒ 370)。

49 Ist es wahr?
[イスト エス ヴァー]
▶ それ本当？

A : **Ist es wahr**, dass sie mein und dein nicht unterscheiden kann?
B : Ja, besonders im Supermarkt, obwohl sie genug Geld hat. Ich glaube, es ist bei ihr fast krankhaft.

   A：彼女が平気で盗むって本当？
   B：うん、特にスーパーでね。じゅうぶんお金持ってるのに。ほとんど病的だと思う。

★mein und dein nicht unterscheiden können …平気で自分の物にする、盗む。直訳は「私の物と君の物を区別できない」。mein und dein verwechseln（私の物と君の物を間違える）も同じ。

★krankhaft …病的だ。なお、krank は「病気だ」、kränklich は「病弱だ」。

KAPITEL 1

50 Ich hab's überhört.
[イヒ ハープス ユーバーヘールト]
▶ 聞きのがした。

A: Was soll ich machen?
B: Entschuldigung, **ich hab's überhört.**

　A: どうしたらいいと思う？
　B: ごめん、聞きのがした。

★Was soll ich machen? …私は何をすべきか？ 相手の意向を尋ねる言い方。

51 wohl oder übel
[ヴォール オーダー ユーベル]
▶ しかたなく

A: Bist du mit den Bedingungen zufrieden?
B: Nein, aber ich musste ihr Angebot **wohl oder übel** akzeptieren.

　A: この条件に満足しているの？
　B: いや、だけど彼らのオファーをしかたなく受け入れざるをえなかったんだ。

★wohl oder übel …いやおうなしに、しかたなく。直訳は「よかれ悪しかれ」。

52 Ist das dein Ernst?
[イスト ダス ダイン エルンスト]
▶ 本気？

A: Ich werde kündigen!
B: **Ist das dein Ernst?**

　A: 辞表出す！
　B: 本気？

★kündigen …退職を申し出る。主語が1人称の場合、未来形は断固とした意志を表すことが多い。

53 Wenn es sein muss.
[ヴェン エス ザイン ムス]
▶ **しかたないな。**

A: Kommst du auch zum Vortrag?
B: **Wenn es sein muss.**

> A: あなたも講演に行く？
> B: しかたないな。

★Wenn es sein muss. …しかたない。直訳は「もしそうでなければならないならば」。

54 Was meinst du damit?
[ヴァス マインスト ドゥー ダミット]
▶ **どういう意味で言ってるの？**

A: Das kann nicht wahr sein.
B: **Was meinst du damit?**

> A: それは本当じゃないかもしれない。
> B: それはどういう意味で言ってるの？

★Was meinst du damit? …それはどういう意味で言っているの？ ≒ Was heißt das?（それはどういう意味か？）。直訳は「そのことで君は何を言おうとしているのか」。

55 Nicht, dass ich wüsste.
[ニヒト ダス イヒ ヴュステ]
▶ **そんなことはございません。**

A: Ist dein Vater ein Millionär?
B: **Nicht, dass ich wüsste.**

> A: お父さんは億万長者？
> B: そんなことはないと思いますよ。

★Nicht, dass ich wüsste. …本来は「私の知る限りでは違う、nein だ（= Es ist nicht so, dass ich wüsste.）」という意味だったが、「私の知る限り」の意味が薄れて、穏やかに、遠慮がちに否定するときなどに使われる。

KAPITEL 1

56 Das ist mir aufgefallen.
[ダス イスト ミーア アウフゲファレン]
▶ 気がついたよ。

CHECK✓

A: Claudia ist schöner geworden. Ich glaube, sie hat mindestens fünf Kilo abgenommen.
B: **Das ist mir** auch **aufgefallen.**

> A: クラウディアはきれいになったね。彼女少なくとも5キロはやせたと思うよ。
> B: 僕も気がついたよ。

★j³ auffallen … ～は気がつく、～の注意を引く。なお、「私は気がつかなかった」は Das ist mir nicht aufgefallen.

57 wenn ich fragen darf?
[ヴェン イヒ フラーゲン ダルフ]
▶ 聞いてもいいですか？

CHECK✓

A: Wie alt bist du, **wenn ich fragen darf?**
B: Ich bin Mitte dreißig.

> A: いくつだか聞いてもいい？
> B: 30台半ば。

★wenn ich fragen darf … ～って聞いてもいいですか？ 直訳は「もし私が尋ねてもかまわないならば」。

★Mitte... は「～半ば」。例：Mitte April（4月半ば）。また、Anfangは「初め、上旬」、Endeは「終わり、下旬」。

58 Wie ist dein Name?
[ヴィー イスト ダイン ナーメ]
▶ お名前は？

CHECK✓

A: **Wie ist dein Name?**
B: Andreas. Und wie ist deine Telefonnummer?

> A: お名前は？
> B: アンドレアス。で、君の電話番号は？

★Wie ist dein Name? …お名前は何ですか？ 英語や日本語と違って、疑問詞は was ではなく、wie を使うので注意。dein Name の代わりに deine Telefonnummer や deine Adresse を入れれば、電話番号や住所を尋ねることができる。

59 Wenn nicht, dann nicht.
[ヴェン ニヒト ダン ニヒト]
▶ いやならいいよ。

A: Muss ich das essen?
B: **Wenn nicht, dann nicht.**

  A: これ食べなくちゃだめ？
  B: いやならいいよ。

60 Das weiß der Kuckuck.
[ダス ヴァイス デア クックック]
▶ そんなこと知らないよ。

A: Wer hat die Graffiti an unserer Mauer gemalt?
B: **Das weiß der Kuckuck.**

  A: だれがうちの塀に落書きしたの？
  B: そんなこと知るもんか。

★Das weiß der Kuckuck. …直訳は「そんなことはカッコーが知っている」。= Wer weiß!（だれが知るもんか！; ⇒ 25 ）。

61 Das kann schon vorkommen.
[ダス カン ショーン フォアコメン]
▶ ありえますよ。

A: Vielleicht gewinnen wir morgen.
B: **Das kann schon vorkommen.**

  A: ひょっとしたら明日勝つかもよ。
  B: ありえるね。

★Das kann schon vorkommen. …直訳は「それは起こる可能性がある」。≒ Das ist nicht ausgeschlossen.（ないとは言えませんよ; ⇒ 179 ）。

KAPITEL 1

62 Hörst du mir zu?
[ヘールスト ドゥー ミーア ツゥー]
▶ ねえ、聞いてる？

A: **Hörst du mir zu?**
B: Natürlich. Ich bin ganz Ohr.

 A: ねえ、聞いてる？
 B: もちろん。全身を耳にして聞いてるよ。

★zuhören …耳を傾ける。
★ganz Ohr sein …全身を耳にして傾聴する。直訳は「全部耳である」。

63 Um wieder darauf zurückzukommen.
[ウム ヴィーダー ダラウフ ツリュックツーコメン]
▶ さっきの話だけど。

A: **Um wieder darauf zurückzukommen.**
B: Was denn?

 A: さっきの話だけど。
 B: 何？

★„um ... zu 不定詞" は、ここでは「～するために」という意味はなく、断り書き的にほとんど独立して使われている。例: um die Wahrheit zu sagen (本当のことを言うとね)。
★auf 4 格 zurückkommen …～に戻る、～のことを改めて取りあげる。

64 Woher weißt du das?
[ヴォーヘーア ヴァイスト ドゥー ダス]
▶ どこで聞いたの？／なんで知ってるの？

A: Deine Firma will vielleicht eure Filiale schließen, nicht wahr?
B: Was? **Woher weißt du das?** Wer hat aus der Schule geplaudert?

 A: おたくの会社はひょっとしたら君たちの支店を閉めるかもしれないんだって？
 B: え？ なんでそのこと知ってるの？ だれがもらしたの？

★Woher weißt du das? …どこからそれを (聞いて) 知っているのか？ ≒ Von wem hast du das erfahren? (だれにそれを聞いたのか？)、Wo hast du das erfahren? (どこでそれを聞いたのか？)。
★aus der Schule plaudern …直訳は「派の内情をしゃべる」。

65 Wie kommst du darauf?
[ヴィー コムスト ドゥー ダーラウフ]

▶ どうしてわかったの？

A: Du hast hinter meinem Rücken eine Überraschungsparty zu meinem Geburtstag vor, nicht wahr?
B: **Wie kommst du darauf?**

　A: 君、僕に隠れて誕生日のサプライズパーティーをやろうとしてるでしょ？
　B: どうしてわかったの？

★hinter meinem Rücken …私の背後で、私に隠れて。

★vorhaben …企てる。

★Wie kommst du darauf? …どうしてわかったの？ なぜその気になったの？ darauf の da はふつう短母音だが、長母音にすると指示性が強まり、いぶかる気持ちが表せる。

66 Wie soll ich sagen,
[ヴィー ゾル イヒ ザーゲン]

▶ 何て言うか、

A: Dein Plan ist, **wie soll ich sagen,** irgendwie nicht gerade realistisch, so kommt es mir vor.
B: Geh doch nicht wie die Katze um den heißen Brei herum und sag endlich, was du denkst.

　A: あなたの計画は、何て言ったらいいのかな、何となく必ずしも現実的でないような気がするんだよね。
　B: そんなまわりくどいこと言ってないで、何考えてるのかいいかげんに言えよ。

★Wie soll ich sagen …何て言ったらいいのかな。主語が man でも同じ。

★irgendwie …何となく。

★nicht gerade …必ずしも〜でない。

★wie die Katze um den heißen Brei herumgehen …躊躇して肝心のことを言わない。直訳は「猫のように熱いかゆの周りをうろつく」。

KAPITEL 1

67 Deine Aussage leuchtet mir ein.
[ダイネ アウスザーゲ ロイヒテット ミーア アイン]
▶ そう言われるとそうだね。

A: Ich finde es sinnlos, dass wir jeden Tag so etwas machen.
B: **Deine Aussage leuchtet mir ein.**

 A: 毎日こんなことするの、意味ないと思う。
 B: そう言われるとそうだね。

★4格+形容詞+finden …〜を〜だと思う。この finden は「みつける」ではない。

★Deine Aussage leuchtet mir ein. …そう言われるとそうだね。直訳は「あなたの発言は私を納得させる」。分離動詞 j³ einleuchten は「〜にとって納得がいく」の意。

68 Viele Grüße an deine Familie!
[フィーレ グリューセ アン ダイネ ファミーリエ]
▶ ご家族にどうぞよろしく!

A: **Viele Grüße an deine Familie!**
B: Viele Grüße auch an deinen Mann!

 A: ご家族にどうぞよろしく!
 B: だんなさんにもよろしく!

★Viele Grüße an j⁴ …直訳は「〜にたくさんのあいさつを」。

69 Es fällt mir gerade ein.
[エス フェルト ミーア ゲラーデ アイン]
▶ 今思いついたんだけど。

A: **Es fällt mir gerade ein,** dass Moritz heute Geburtstag hat. Habe ich recht?
B: Ja, das stimmt. Rufen wir ihn sofort an, um ihm zu gratulieren.

 A: たった今思いついたんだけど、今日モーリッツの誕生日でしょ。違う?
 B: うん、そのとおりだ。すぐに電話して、おめでとうって言おう。

★j³ einfallen …思いつく。
★recht haben …言うことが正しい。新正書法では Recht haben とも書く。
★j⁴ anrufen …〜に電話する〈他動詞〉。

70 Endlich ist der Groschen gefallen.

[エントリヒ イスト デア グロッシェン ゲファレン]

▶ やっとわかった。

A : Ich verstehe nicht, warum Frau Schmied so sparsam ist.
B : Weil sie ein Trauma aus der Kriegszeit hat.
A : Ah, **endlich ist** bei mir **der Groschen gefallen.**

　A : シュミートさんがなんであんなに倹約するのか、全然わかんない。
　B : 戦争時代のトラウマがあるからだよ。
　A : へえ、やっとわかった。

★weil … 〜なので（英語の because）。似ている意味の従属接続詞 da は、理由が相手も当然知っている場合、納得するだろう場合に使う。

★Endlich ist (bei j^3) der Groschen gefallen. …やっとわかった。直訳は「やっと（〜において）1 グロッシェン玉が落ちた」。自動販売機にコインを入れてから、機械が作動するまで時間がかかったことから。

★Groschen はユーロ導入前のドイツの通貨 10 Pfennig のコイン。だいたい日本の 10 円玉にあたる。

71 Wo bin ich stehen geblieben?

[ヴォー ビン イヒ シュテーエン ゲブリーベン]

▶ どこまで話したっけ？

A : Es tut mir leid, dass ich dich unterbrochen habe.
B : Macht nichts. Aber **wo bin ich stehen geblieben?** Ich habe den Faden verloren.

　A : 話をさえぎってごめんなさい。
　B : かまわないよ。だけど、どこまで話したっけ？ 話が飛んで、わからなくなっちゃった。

★Es tut mir leid. …遺憾に思う。類義表現の Verzeihung. や Verzeihen Sie (mir) bitte!（ごめんなさい）より強い。Entschuldigung. や Entschuldigen Sie (mich) bitte!（すみません）はさらにあやまる気持ちが弱く、単なる呼びかけにも使える。

★Macht nichts. は Das macht nichts (aus). の省略。「そんなことは何でもない、かまいませんよ」という意味。

★stehen bleiben …立ち止まる、話がとぎれる。旧正書法では分離動詞 stehenbleiben.

★den Faden verlieren …話が脱線する、話の脈絡を失う。直訳は「糸を失う」。

72 Ich bin wieder darauf gekommen.
[イヒ ビン ヴィーダー ダラウフ ゲコメン]
▶ あ、思い出した。

A : Sein Name ist mir entfallen.
B : Ich überlegte mir auch gerade, wie er hieß.
A : Ach ja, **ich bin wieder darauf gekommen.**

 A：彼の名前忘れた。
 B：私もちょうど、彼の名前が何だったか考えてたんだけど。
 A：あ、思い出した。

★Sein Name ist mir entfallen. ≒ Ich habe seinen Namen vergessen.（私は彼の名前を忘れた）。

★Name は男性弱変化名詞の例外。1 格 Name, 2 格 Namens, 3・4 格 Namen というふうに変化する。

73 Was ist los mit dir?
[ヴァス イスト ロース ミット ディーア]
▶ いったいどうしたの？

A : Mist! Schon wieder ist mir die Gabel runtergefallen!
B : **Was ist los mit dir?** Heute ärgerst du dich über die Fliege an der Wand.

 A：くそ！ またフォークがが落ちちゃったよ。
 B：いったいどうしたの？ 今日はささいなことに腹を立てるね。

★Was ist los (mit dir)? …直訳は「(〜においては)何が起きたのか？」≒ Was ist (dir) passiert?

★sich⁴ über die Fliege an der Wand ärgern …ささいなことに腹を立てる。直訳は「壁に止まっているハエに腹を立てる」。ärgern を他動詞として Heute ärgert dich die Fliege an der Wand. と言っても同じ意味になる。

74 Du sprichst mir aus dem Herzen.
[ドゥー シュプリヒスト ミーア アウス デム ヘルツェン]
▶ **同感！**

A : Wir brauchen mehr Urlaub!
B : **Du sprichst mir aus dem Herzen.**

　　A：我々にはもっと休暇が必要だ！
　　B：同感！

★j³ aus dem Herzen sprechen … 〜の思っていたのと同じことを言う。直訳は「〜の心の中から話す」。

75 Jetzt geht mir ein Licht auf.
[イェツト ゲート ミーア アイン リヒト アウフ]
▶ **そうか、わかった！**

A : Claudia will es zwar nicht zugeben, aber sie ist gegen Hunde allergisch.
B : **Jetzt geht mir ein Licht auf.** Deshalb geht sie unserem Waldi aus dem Weg.

　　A：クラウディアは認めたがらないけど、彼女、犬アレルギーなの。
　　B：あっそうか、わかった。だからうちのヴァルディーを避けるんだ。

★Jetzt geht mir ein Licht auf. …直訳は「今私は明かりがついた」。
★Waldi はダックスフントの典型的な呼び名。

76 Ich bin wieder auf dem Damm.
[イヒ ビン ヴィーダー アウフ デム ダム]
▶ **また元気になったよ。**

A : Ich habe gehört, dass du krank warst?
B : Ja, aber **ich bin wieder auf dem Damm.**

　　A：病気だったんだって？
　　B：うん、でもまた元気になったよ。

★nicht auf dem Damm sein …元気ではない。直訳は「土手の上にいない」。反対は wieder auf dem Damm sein（病気から回復した；直訳は「また堤の上にいる」）。下のぬかるんだ所より上の乾いた場所のほうがほっとする、というのが由来。

KAPITEL 1　29

77 Es ist sehr lieb von dir.
[エス イスト ゼーア リープ フォン ディーア]
▶ ご親切にありがとう。

A : Ich habe in der Oper zwei sehr gute Plätze reservieren lassen. Das Theater, das du besuchen wolltest, war nämlich leider ausgebucht.
B : **Es ist sehr lieb von dir,** dass du versuchst, mir die bittere Pille zu versüßen.

> A : オペラ座にすごくいい席を2つ予約したよ。ていうのはつまり、君が行きたがっていた劇場は満席だったんだ。
> B : 私のショックを和らげようとしてくれて、ありがとう。

★Es ist sehr lieb von dir. …ご親切にありがとう。英語の It is very kind of you. と同じ構造。lieb の代わりに nett とも言う。

★j³ eine bittere Pille versüßen … 〜に言いにくいことを和らげて言う。直訳は「にがい薬を甘くする」。また、eine bittere Pille schlucken (いやなことをがまんして受け入れる=にがい薬を飲み込む) という応用もある。

78 Können wir unter vier Augen sprechen?
[ケネン ヴィーア ウンター フィーア アウゲン シュプレヒェン]
▶ 二人だけで話せる？

A : Du siehst bedrückt aus. Was ist denn los mit dir?
B : Ja, ich habe ein großes Problem. **Können wir unter vier Augen sprechen?**

> A : ふさぎこんでるね。いったいどうしたの？
> B : ああ、大問題をかかえているんだ。二人だけで話せない？

★Was ist denn los mit dir? …あなたはいったいどうしたのか？ ≒ Was hast du denn? denn は疑問文の中でアクセントがなく、質問者の関心の強さ、いぶかる気持ちなどを表現。

★unter vier Augen sprechen …二人きりで話す、ここだけの話。直訳は「4つの目のもとで話す」。

79 Damit hast du ins Schwarze getroffen.

[ダミット ハスト ドゥー インス シュヴァルツェ ゲトゥロッフェン]

▶ 図星だ。

A : Der Chef ist heute gut gelaunt.
B : **Damit hast du ins Schwarze getroffen.** Seine Frau hat gestern ein Mädchen bekommen.

　A：課長、今日機嫌がいいな。
　B：大当たり。昨日女のお子さんが生まれたんだって。

★ins Schwarze treffen …図星をさす、うまく・ピタリと言い当てる。直訳は「黒点に命中する」。弓矢をイメージしている。ほかにも、den Nagel auf den Kopf treffen（釘の頭に命中する；⇒ 84 ）や〈名詞〉Volltreffer（大当たり）といった表現がある。

80 Ich war nicht ganz bei der Sache.

[イヒ ヴァー ニヒト ガンツ バイ デア ザッヘ]

▶ うわの空だった／ボーッとしてて聞き逃した。

A : Was meinst du dazu?
B : Wie bitte? Es tut mir leid, aber **ich war nicht ganz bei der Sache.**

　A：あなたはどう思う？
　B：え、何だって？ ごめん、ボケッとしてて聞き逃した。

★nicht ganz bei der Sache sein …うわの空だ、ほかのことを考えている。直訳は「話題のところにちゃんといない」。

81 Mir liegt das Wort auf der Zunge.

[ミーア リークト ダス ヴォルト アウフ デア ツンゲ]

▶ そのことば、もう少しで思い出せそうなんだけど。

A : Wie hieß das Ding da?
B : Ich weiß. **Mir liegt das Wort auf der Zunge.**

　A：あれ何て言ったっけ？
　B：わかるわかる。ここまで出かかっているんだけどなあ。

★Mir liegt das Wort auf der Zunge. …そのことばはここまで出かかっているんだけど、出てこない。直訳は「その語は私の舌の上にある」。

82. Wer hat dich auf den Gedanken gebracht?

[ヴェーア ハット ディヒ アウフ デン ゲダンケン ゲブラハト]

▶ だれがそんな気にさせたの？

A : **Wer hat dich auf den Gedanken gebracht**, die Klassenfete zu organisieren?
B : Niemand. Das habe ich auf eigene Faust getan.

    A : クラスコンパを企画するなんて、だれがそんな気にさせたの？
    B : だれにも言われてない。自分の考えでやったんだよ。

★Gedanke …考え〈男性弱変化名詞の例外〉。1格 Gedanke, 2格 Gedankens, 3・4格 Gedanken というふうに変化する。

★auf eigene Faust …自発的に、自分の責任で。直訳は「自分自身のこぶしで」。

83. Kannst du mit dem Unterricht Schritt halten?

[カンスト ドゥー ミット デム ウンターリヒト シュリット ハルテン]

▶ 授業についていけてる？

A : **Kannst du mit dem Unterricht Schritt halten?**
B : Leider nicht. Kannst du mir Nachhilfestunden geben?

    A : 授業についていけてる？
    B : それがだめなんだ。家庭教師してくれない？

★mit 3格 (nicht) Schritt halten können … ～についていける (いけない)。直訳は「歩調を合わせられる (られない)」。

★j^3 Nachhilfestunden geben … (学力を補うために) ～に家庭教師する。

84. Du hast den Nagel auf den Kopf getroffen.

[ドゥー ハスト デン ナーゲル アウフ デン コプフ ゲトゥロッフェン]

▶ 図星だ。

A : Ich glaube, die beiden sind ineinander verliebt.
B : Mit deiner Vermutung **hast du den Nagel auf den Kopf getroffen**. Sie wollen bald heiraten.

    A : あの二人はほれあっていると思うな。
    B : 推測は的中よ。彼らもうすぐ結婚するつもりなんだって。

★(mit et^3) den Nagel auf den Kopf treffen … (～でもって) 物事の核心をつく、図星をさす (⇒ 79)。直訳は「釘の頭に命中する」。

Kapitel 2

喜怒哀楽 フレーズ

「すごい！」「ありえない！」「残念…」など、
自分の感情を素直に言葉に表してみよう。
不満や愚痴も、ときには思い切って
口にして、ストレス発散！

85 Super!
[ズーパー]
▶ すごい！

A: Heute haben wir hitzefrei.
B: **Super!**

> A: 今日、暑気休校だって。
> B: わーい！

★hitzefrei …暑気休み。一定の気温に達したときの臨時休校。
★super …すごい、すばらしい、やったー。

86 Schade!
[シャーデ]
▶ 残念！

A: Der Wein ist alle.
B: **Schade!**

> A: ワインが空だ。
> B: 残念！

★alle sein …なくなってしまった、空になった。

87 Unmöglich!
[ウンメークリヒ]
▶ ありえない！

A: Ich habe fünf Schalen Reis gegessen.
B: **Unmöglich!** Dabei bist du ja so schlank!

> A: ご飯5杯食べた。
> B: うそー！ そんなに細いのに！

★unmöglich …不可能な ≒ unglaublich（信じられない）。
★dabei …そのくせ、それにもかかわらず。この場合の dabei は先行文の内容との矛盾を対比させる役割を持つ。

88 Beneidenswert!
[ベナイデンスヴェルト]
▶ いいなあ！

A : Was habt ihr am Wochenende gemacht?
B : Wir haben Tokio unsicher gemacht.
A : **Beneidenswert!**

> A：週末何したの？
> B：東京に滞在して大いに楽しんだよ。
> A：いいなあ！

★et⁴ unsicher machen …ある場所に観光・遊びなどで滞在する。直訳は「ある場所を不穏にする、騒がす」。

★beneidenswert …うらやましい。直訳は「うらやむ価値のある」。

89 Komisch.
[コーミシュ]
▶ 変だな。

A : Ich habe dir eine Torte mitgebracht.
B : **Komisch,** dass du so lieb zu mir bist. Hast du etwa ein schlechtes Gewissen?

> A：ケーキを持ってきたよ。
> B：妙にやさしいね。やましいことでもあるの？

★mitbringen …みやげとして持って行く・持って帰る。それに対して、mitnehmen は自分のために持って行く・帰る。「みやげ物」はその名詞形 Mitbringsel や Andenken（記念品）、Souvenir（思い出の品）のほか Geschenk（プレゼント）もよく使う。

★komisch …変だ、奇妙だ、解せない ＝ merkwürdig（変だ、不思議だ）。„komisch, dass..." で「～なのは変だ、不思議なことに～だ」の意。

★ein schlechtes Gewissen haben …良心の呵責がある ⇔ kein schlechtes Gewissen haben（良心の呵責がない）。

★etwa …悪い可能性を問いただすニュアンスの心態詞。

90 Quatsch!
[クヴァチュ]
▶ **そんなばかな！**

CHECK✓

A: Japaner essen jeden Tag Sushi!
B: **Quatsch!**

 A：日本人は毎日寿司を食べるんだよ。
 B：そんなばかな！

★Quatsch …くだらない話 ≒ Unsinn（ナンセンス）、Blödsinn（ばかげたこと）。

91 Unverschämt!
[ウンフェアシェームト]
▶ **ずうずうしい！**

A: Ohne mich zu fragen, hat sie meinen Füller benutzt und will ihn verloren haben.
B: Das sieht ihr ähnlich. **Unverschämt!**

 A：彼女は僕に断らないで僕の万年筆使って、なくしただってさ。
 B：彼女のやりそうなことだね。ずうずうしい！

★j³ ähnlich sehen …いかにも～らしい。
★unverschämt …ずうずうしい。直訳は「恥知らずな」。= eine Unverschämtheit ≒ frech（厚かましい）、eine Frechheit（⇒ 97 ）。

92 Verdächtig.
[フェアデヒティヒ]
▶ **うさんくさいな。**

CHECK✓

A: Er ist ein echter Kavalier. Er würde für mich die Kastanien aus dem Feuer holen.
B: **Verdächtig.**

 A：彼は本物の紳士なの。私のために火中の栗を拾ってくれるって。
 B：まゆつばもんだ。

★für j⁴ die Kastanien aus dem Feuer holen …～のために火中の栗を拾う、～のためならたとえ火の中水の中。
★verdächtig …疑わしい、うさんくさい。

93 Meine Güte!
[マイネ ギューテ]
▶ たいへん！

CHECK✓

A: Ich wäre um ein Haar von einem Lastwagen überfahren worden.
B: **Meine Güte!**

　　A: 間一髪でトラックにひかれるところだった。
　　B: それはたいへん！

★wäre ... überfahren worden …他動詞 überfahren（ひく）の受動態の完了形で接続法第2式〈非現実話法〉。
★um ein Haar …間一髪で。
★Meine Güte! …たまげた！

94 Schon wieder?
[ショーン ヴィーダー]
▶ また？

CHECK✓

A: Ich möchte einen neuen Pullover kaufen.
B: **Schon wieder?** Die hast du ja in Hülle und Fülle.

　　A: 新しいセーターがほしいな。
　　B: また―？ セーターなんて掃いて捨てるほどもってるじゃないか。

★schon wieder …またしても、またまた。
★in Hülle und Fülle …たっぷり、あり余るほど。

95 Alle Achtung!
[アレ アハトゥング]
▶ さすがだね！

A: Hast du die Abhandlung fertig geschrieben? **Alle Achtung!**
B: Mit hängender Zunge habe ich es gerade noch geschafft.

　　A: 論文書き終えたの？ さすが、おめでとう！
　　B: ヒーヒー言って、どうにかこうにかやり終えた。

★Alle Achtung. …すごいね、おめでとう（感心して、尊敬の気持ちを込めて）。直訳は「おおいに敬意を」。
★mit hängender Zunge …やっとのことで。直訳は「舌をだらりと垂らして」。疲れた犬をイメージしている。

KAPITEL 2　37

96 Sachen gibt's!
[ザッヘン ギープツ]
▶ **すごいことがあるもんだ。**

A : Unsere Katze badet sehr gern.
B : **Sachen gibt's!**

　A：うちの猫はお風呂が大好きなんだ。
　B：すごいことがあるもんだね。

★gern …好んで、喜んで、～するのが好きだ。gerne でも同じ。⇔ nicht gern(e)（好まないで、～するのが嫌いだ）。

★Sache …口語で「すばらしいこと、すごいこと」。

97 eine Frechheit
[アイネ フレヒハイト]
▶ **厚かましい**

A : Der Mann hat sich vor mir in die Schlange vorgedrängt.
B : So **eine Frechheit**!

　A：あの男は並んでいる私の前に割り込んだの。
　B：なんてひどいヤツだ。

★eine Frechheit …直訳は「生意気（な言動）」。≒ unverschämt（⇒ 91 ）、eine Unverschämtheit（恥知らず）。

98 Der Dickkopf!
[デア ディックコプフ]
▶ **あの頑固者め！**

A : Hast du mit deinem Freund gestritten?
B : Ja, **der Dickkopf!** Von dem will ich nichts mehr wissen.

　A：親友とけんかしたの？
　B：ああ、あの石頭め。あいつのことなんかもう知るもんか。

★Dickkopf …石頭 ≒ Sturkopf（強情っぱり）、Querkopf（へそ曲がり）。ただし Steinkopf とは言わない。

★von j³ nichts (mehr) wissen wollen …～とは（もう）一切関わりをもちたくない。直訳は「～のことは（もう）何も知りたくない」。似た表現に mit j³ nichts mehr zu tun haben wollen がある。

99 Wie schade!
[ヴィー シャーデ]
▶ もったいない！

A : Scheiße, der Satz gefällt mir überhaupt nicht.
B : Hast du das ganze Manuskript gelöscht? **Wie schade!** Im Großen und Ganzen war es doch gut.

　A：くそ、この文、気に食わないや。
　B：原稿を全部削除しちゃったの？　もったいない！　全体的にはよかったのに。

★im Großen und Ganzen …全体としては、だいたいにおいて。旧正書法は小文字で im großen und ganzen と書く。

100 mit Widerwillen
[ミット ヴィーダーヴィレン]
▶ しぶしぶ

A : Putzt du gern deine Wohnung?
B : Nein, nur wenn es sein muss, **mit Widerwillen**.

　A：家の掃除するの好き？
　B：いや、しなくちゃならないときだけ、しぶしぶやる。

★mit Widerwillen …いやいやしぶしぶ ≒ nicht gern(e)

101 Glück gehabt.
[グリュック ゲハープト]
▶ ついてた。

A : Gestern habe ich meine Aktien verkauft. Heute wären sie gefallen.
B : **Glück gehabt!**

　A：昨日株を売ったんだ。今日だったら下落していたよ。
　B：ついてたね。

★Glück gehabt. は Ich habe Glück gehabt. や Du hast Glück gehabt. などの省略。直訳は「幸運をもっていた」。Schwein gehabt.（ついていた；直訳は「ブタをもっていた」）とも言う。

★ほかにも、Glückspilz（ついている人；直訳は「幸運なキノコ」）、Glückskind（果報者；直訳は「幸運な子」）などの表現がある。

KAPITEL 2　39

102 Wir hatten Pech.
[ヴィーア ハッテン ペヒ]

▶ ついてなかった。

A : Wie hat es dir in Italien gefallen?
B : Es war sehr interessant, aber mit dem Wetter **hatten wir Pech.**

 A：イタリアは気に入った？
 B：とても興味深かったけど、天気はついてなかったよ。

★j³ gefallen は「j³ は主語の人・物が気に入っている；主語の人・物は j³ に気に入られている」という意味。構文が日本語と一致しないので注意。例: Der Hut gefällt mir.（私はその帽子が気に入っている；その帽子は私に気に入られている）。

★しかし、ある場所・国が気に入ったかどうかという場合は、人・物・食べ物・雰囲気などいろいろな要素が含まれるので、主語は非人称の es で、「in 場所・国」と言う。例: Es hat mir in Deutschland（gut）gefallen.（私はドイツが気に入った）。Es hat ihm in Hamburg nicht（gut）gefallen.（彼はハンブルクが気に入らなかった）。

★（mit et³）Pech haben … （〜に関して）ついてない。「ついてない人」は Pechvogel（直訳は「不運な鳥」）。

103 Gott sei Dank!
[ゴッツァイ ダンク]

▶ ああよかった！

A : Kennst du jemand, der Katzen halten kann?
B : Eine könnte ich halten.
A : **Gott sei Dank!** Unsere Katze hat vier Junge geworfen und ich bringe es nicht übers Herz, sie töten zu lassen.

 A：だれか猫を飼える人を知らない？
 B：1匹だったら僕飼えるよ。
 A：ああよかった！ うちの猫が4匹子どもを産んだんだけど、殺すなんて忍びなくて。

★Gott sei Dank. …ああよかった、ありがたい。直訳は「神に感謝あれ」。主語は Dank で、Gott は 3 格。sei は接続法第 1 式で要求話法。

★Kind は人間の子どもだけで、動物には使わない。「動物の子」には ein Junges (Tier), das Junge などのように、形容詞 jung の名詞化を使う。

★et⁴ nicht übers Herz bringen … 〜するに忍びない。直訳は「心の向こう側にもっていけない」。

104 Kaum zu glauben.
[カウム ツー グラウベン]
▶ 信じがたい。

A: Rainer ist ein erfolgreicher Chirurg geworden.
B: **Kaum zu glauben.** Als Kind hatte er zwei linke Hände.

　　A: ライナーは外科医になって成功してるよ。
　　B: 信じがたい。子どものときは不器用だったのに。

★Kaum zu glauben. は Es ist kaum zu glauben.（信じがたい）の省略。
★zwei linke Hände haben …不器用だ。直訳は「左手を2本もっている」。

105 Bist du närrisch!
[ビスト ドゥー ネリシュ]
▶ へえ、びっくり！

A: Petra ist einfach einkaufen gegangen und mit einem neuen Auto nach Hause gekommen.
B: **Bist du närrisch!** Hat sie das Auto in Raten gekauft?

　　A: ペトラはちょっと買い物に出かけて、新しい車で帰宅したんだよ。
　　B: へえ、驚いた！ その車、分割払いで買ったの？

★Bist du närrisch! …直訳は「おまえはたわけか！」。
★驚きの表現にはほかに mein Gott, meine Güte, sackerlot などがある。

106 Ich bin enttäuscht.
[イヒ ビン エントトイシュト]
▶ がっかりだ。

A: Übermorgen soll ein großer Taifun kommen.
B: Oje, **ich bin enttäuscht.** Mit unserem Ausflug ist es Essig.

　　A: あさって大きな台風が来るらしいよ。
　　B: えーっ、がっかり。ハイキングはおじゃんだね。

★mit et^3 ist es Essig …（計画）はおじゃんになった。直訳は「～は酢だ」。ワインの保存が悪いと酢になる。≒ j^3 einen Strich durch die Rechnung machen（ある人の計画をだいなしにする；直訳は「計算に線を引く」）。

KAPITEL 2

107 Das gibt's nicht!
[ダス ギープツ ニヒト]
▶ ありえない！

A : **Das gibt's nicht!** Das glaube ich dir nicht!
B : Du sollst mir nicht ins Wort fallen!

> A : ありえない！ 信じられない！
> B : 話の腰を折るなよ。

★Das gibt's nicht! …ありえない、信じられない。直訳は「それは存在しない」。≒ unmöglich (不可能な)、unglaublich (信じられない)。

★j^3 et^4 glauben … 〜の言うことを信じる。

★j^3 ins Wort fallen … 〜の言葉をさえぎる、話の腰を折る。直訳は「〜のことばの中に入る」。

108 Ich geniere mich.
[イヒ ジェニーレ ミヒ]
▶ 恥ずかしい。

A : **Ich geniere mich,** die neue Kollegin um so was zu bitten.
B : Soll ich sie darum bitten?

> A : 新入りにそんなことを頼むなんて、きまり悪いな。
> B : 私が彼女に頼んであげようか？

★$sich^4$ genieren …恥ずかしい、きまり悪く思う。genieren の ge- はドイツ語の接頭辞ではないので、発音に注意。$sich^4$ schämen (恥じる) のほうが理由がはっきりしていて強い。

★j^4 um 4 格 bitten … 〜に〜を頼む。

109 Nicht zu glauben!
[ニヒト ツゥー グラウベン]
▶ 信じられない！

A : Laut Wettervorhersage soll es morgen schneien.
B : Was, mitten im Sommer? **Nicht zu glauben!**

> A : 天気予報によると明日雪が降るんだって。
> B : ええっ、真夏に？ 信じられない！

★Nicht zu glauben. は Es ist nicht zu glauben. の省略。= (Es ist) unglaublich. (信じられない) ≒ Kaum zu glauben. (ほとんど信じられない、信じがたい)。

110 Geschieht dir recht.
[ゲシート ディーア レヒト]
▶ ざまあ見ろ。

A : Ich bin im Stau stecken geblieben und habe zum Büro zwei Stunden gebraucht.
B : **Geschieht dir recht!** Ich habe dir immer davon abgeraten, mit dem Auto zum Büro zu fahren.

　A：渋滞に巻き込まれて、会社まで2時間もかかった。
　B：ざまあ見ろ。会社には車で来るなって、いつも言っているだろ。

★Geschieht j³ recht. …ざまあ見ろ。Es geschieht j³ recht. の省略。直訳は「〜に当然のことが起こっている」。

★j³ von et³ abraten … 〜に〜しないよう助言する ⇔ j³ zu et³ raten（〜に〜するよう助言する）。

111 Sie ist verwöhnt!
[ズィー イスト フェアヴェーント]
▶ 贅沢だな！

A : Unsere Katze frisst nur Rohfisch.
B : Mensch, **ist sie verwöhnt!** Das läuft ins Geld, nicht wahr?

　A：うちの猫は刺身しか食べないの。
　B：何て贅沢なんだ！ ずっとだと高くつくでしょ？

★Rohfisch …生魚、刺身。

★Mensch …間投詞的に使われると「おやまあ、おい！」などの意。そのあとは感嘆文で倒置されることもある。

★verwöhnt sein …甘やかされている、贅沢に慣れている、わがままだ。

★ins Geld laufen …いずれ高くつく、長い間に費用がかさむ。直訳は「金の中へ入る」。laufen の代わりに gehen でも同じ。

KAPITEL 2　43

112 Dass ich nicht lache.
[ダス イヒ ニヒト ラハェ]
▶ 笑わせるね。

A : Franz sagt, er sei ein Sprachgenie.
B : **Dass ich nicht lache.** Er beherrscht nicht einmal englische Grußworte.

　A：フランツは語学の天才だって言ってるよ。
　B：笑わせるね。英語のあいさつすらマスターしてないくせに。

★Dass ich nicht lache. …直訳は「私が笑わないとは」〈反語〉。

113 Du hast gut reden.
[ドゥー ハスト グート レーデン]
▶ よく言うよ。

A : Die Prüfung ist leicht. Man braucht keine Vorbereitung.
B : **Du hast gut reden.**

　A：その試験は簡単だから、準備なんていらないよ。
　B：よく言うよ。

★Du hast gut reden. …よく言うよ。直訳は「君の立場ならのんきに言っていられる」。gut の代わりに leicht でも同じ。

114 Was du nicht sagst!
[ヴァス ドゥー ニヒト ザークスト]
▶ 何言い出すの！

A : Wie schön Andrea ist! Ich möchte sie gern heiraten.
B : **Was du nicht sagst!** Wie wäre es, wenn du sie erst einmal ansprichst und mit ihr Freundschaft schließt?

　A：アンドレアってなんてきれいなんだろう！ 結婚したいな。
　B：言うにことかいて、何言い出すの！ まず話しかけて友だちになったらどう？

★Was du nicht sagst! は「おまえが何を言わないことか」という反語の表現。

★„Wie wäre es, wenn...?" は「～したらどうだろうか？」の意。接続法第2式で婉曲に提案している。

115 Das trifft sich gut.
[ダス トゥリフト ズィヒ グート]
▶ ちょうどよかった。

A : Können wir unser Treffen von Sonntag auf Montag verschieben?
B : **Das trifft sich gut.** Ich habe auch gerade eine Einladung von meiner Tante bekommen.

> A : 日曜に会う約束、月曜に延期してもらえないかな。
> B : ちょうどよかった。私もちょうど今おばさんから招待されたところなの。

★Das trifft sich gut. の sich は 4 格。≒ Das passt mir gut. (それは私にとって都合がいい)。

116 Du hast einen Vogel.
[ドゥー ハスト アイネン フォーゲル]
▶ 頭がおかしいよ。

A : Ich bin auf dem Zebrastreifen ausgerutscht.
B : **Du hast** wohl **einen Vogel,** im Schnee mit Stöckelschuhen herumzulaufen.

> A : 横断歩道で滑ってころんじゃった。
> B : 雪の日にハイヒールで歩き回るなんて、頭がおかしいよ。

★„einen Vogel haben, ... zu 不定詞" は「～するなんて頭がおかしい」という意味。直訳は「～するなんて鳥がついている」。

117 Das fehlt gerade noch.
[ダス フェールト ゲラーデ ノホ]
▶ よせよ、とんでもない。

A : Wollen wir mal eine Südpolarexpedition machen?
B : **Das fehlt gerade noch.**

> A : いつか南極大陸探検しない？
> B : やめてよ、とんでもない。

★Das fehlt gerade noch. …直訳は「まさにそれが欠けていた」〈反語〉。

118 Hol dich der Kuckuck!
[ホール ディヒ デア クックック]

▶ **やめろ／くたばっちまえ／あっちへ行け！**

A : Zu Hause hört mir niemand zu und im Büro habe ich so viel zu tun.
B : **Hol dich der Kuckuck** mit deinem ständigen Gejammer! Ich habe selber genug Sorgen und Stress.

　A : うちではだれも私の言うこと聞いてくれないし、会社では山ほど仕事があるし。
　B : 愚痴は聞き飽きたから、やめろよ。僕だって心配ごとやストレスはじゅうぶん抱えてるんだ。

★Hol dich der Kuckuck! …直訳は「お前なんかカッコーが連れて行ってしまえ」＝ Geh zum Kuckuck! Scher(e) dich zum Kuckuck!（カッコーのところへ行ってしまえ）。Kuckuck の代わりに Teufel（悪魔）も使えるが、表現がきついニュアンスになる。

119 Ich habe es satt.
[イヒ ハーベ エス ザット]

▶ **うんざりだ。**

A : Ich kann das Nichtstun nicht satt bekommen.
B : **Ich habe es** sicher bald **satt**, ständig nichts zu tun.

　A : 僕は何もしなくても飽きないな。
　B : 私は常に何もしないのには、きっとそのうちうんざりするけど。

★Nichtstun …怠惰、無為。nichts tun（何もしない）が合成して中性名詞になった。

★et⁴ satt bekommen … ～に飽き飽きする ⇔ et⁴ nicht satt bekommen（～が飽きない）。

★et⁴ satt haben … ～にうんざりだ。直訳は「～に満腹だ」。

★bald …じきに、そのうちに。gleich, sofort（すぐに、ただちに）より時間の範囲が広い。

★ständig …常に ≒ immer, stets（いつも）。

120 mit Ach und Krach
[ミット アハ ウント クラハ]
▶ やっとのことで

A : **Mit Ach und Krach** habe ich die Prüfung bestanden.
B : Was? Dabei lernst du ja immer so fleißig.

> A：やっとのことで試験に合格した。
> B：何だって？ 君はいつもあんなにこつこつ勉強してるじゃないか。

★mit Ach und Krach …やっとのことで、どうにかこうにか。語源は mit Ächzen und Krächzen（うめいてあえいで）。≒ mit Mühe und Not（苦労して）。

121 Es ist mir peinlich.
[エス イスト ミーア パインリヒ]
▶ 恥ずかしい。

A : Ach, wir haben keine Zitrone mehr. Soll ich meine Nachbarin fragen, ob sie eine hat?
B : Bitte nicht, **es ist mir peinlich.**

> A：あっ、レモンがもうない。お隣さんにもらえるか聞きましょうか？
> B：やめてくれ、恥ずかしいよ。

★Bitte nicht. は Mach das bitte nicht. の省略。≒ Lass das.（やめておけ）。
★(j³) peinlich sein …（〜にとって）気まずい。

122 Er war kurz angebunden.
[エア ヴァー クルツ アンゲブンデン]
▶ 無愛想でそっけなかった。

A : Frag das Bahnhofspersonal, wann der nächste Zug nach Berlin abfährt.
B : **Er war kurz angebunden** und zeigte mir nur den Fahrplan.

> A：駅員に、次のベルリン行きの電車がいつ出るか聞いてくれよ。
> B：無愛想な人で、時刻表を指しただけだった。

★kurz angebunden sein …直訳は「（番犬のように）短くつながれて機嫌の悪い」。

KAPITEL 2　47

123 Das durfte nicht kommen.

[ダス ドゥルフテ ニヒト コメン]

▶ そんなはずじゃなかったのに。

A : Die Gruppenreise wurde wegen Unruhen im Zielland abgesagt.
B : **Das durfte nicht kommen.** Es kostete mich Nerven, zwei Wochen Urlaub zu nehmen.

> A : 団体旅行が目的地の動乱で中止になっちゃった。
> B : そんなはずじゃなかったのに。2週間も休暇をもらうのたいへんだったんだぞ。

★Das durfte nicht kommen. …直訳は「それは来ることにはなっていなかった」。この dürfen は理由・根拠を表す。＝ Das hätte nicht geschehen dürfen.（それは起こるはずではなかった）。

★Es kostete mich Nerven. …直訳は「それは私の神経をまいらせた」。他動詞 kosten は4格目的語（mich と Nerven）を2つとれる珍しい動詞だが、最近は3格 mir も認められている。

124 Ich saß in der Klemme.

[イヒ ザース イン デア クレメ]

▶ すごく困った。

A : Gestern habe ich auswärts gegessen und danach gemerkt, dass ich kein Geld hatte. Weil ich auch mein Handy vergessen hatte, **saß ich in der Klemme.**
B : Was hast du dann gemacht?

> A : 昨日外食してから、お金がないのに気がついたの。携帯も忘れてたから、困ったのなんのって。
> B : それでどうしたの？

★auswärts essen …外食する。draußen essen は「屋外（庭など）で食べる」。

★Handy …携帯電話〈中性名詞〉。発音は英語式。

★in der Klemme sitzen …窮地・苦境にある、とても困っている。直訳は「留め金の中にすわっている・はさまれている」。留め金は鳥のワナに使われた。sitzen のほかに stecken も使える。≒ weder aus noch ein wissen（にっちもさっちもゆかない）、in Verlegenheit geraten [kommen]（困る）、verlegen sein（困っている；こちらのほうが困り方が弱いニュアンス）。

125 Ich bin fix und fertig.
[イヒ ビン フィックス ウント フェアティヒ]
▶ ヘトヘトだ。

A : Bist du müde?
B : Das ist gar kein Ausdruck. **Ich bin fix und fertig.**

　A：疲れた？
　B：疲れたなんてもんじゃないよ。もうヘトヘトだ。

★fix und fertig sein …疲れきっている、ヘトヘトだ。

126 Ich habe den Kopf verloren.
[イヒ ハーベ デン コプフ フェアローレン]
▶ 気が動転した。

A : Gestern gab es ein großes Erdbeben.
B : Ja, da **habe ich den Kopf verloren** und bin mit dem Messer hinausgelaufen, mit dem ich gerade Zwiebeln schnitt.

　A：昨日大きな地震があったね。
　B：うん、私は気が動転して、ちょうど玉ねぎを切っていた包丁を持って外へ飛び出しちゃった。

★den Kopf verlieren …気が動転する、取り乱す。直訳は「頭(＝理性や分別)を失う」。

127 Da bin ich aber erleichtert.
[ダー ビン イヒ アーバー エアライヒテルト]
▶ ホッとした／それはよかった。

A : Der Hund hat sich mit der Leine losgerissen und ist vor ein Auto gelaufen. Doch konnte der Fahrer zum Glück rechtzeitig bremsen.
B : **Da bin ich aber erleichtert.**

　A：犬がリードごと逃げて、車にひかれそうになったんだ。でも幸いドライバーのブレーキのほうが早かった。
　B：それはよかった、安心した。

★„Doch konnte der Fahrer ... bremsen." の doch は aber よりも強く、„Doch der Fahrer konnte ... bremsen." のように正置もできる。

KAPITEL 2

128 Ich habe die Nase voll.
[イヒ ハーベ ディー ナーゼ フォル]
▶ もううんざり。

A : **Ich habe** vom Pendeln **die Nase voll.**
B : Ziehst du in die Nähe um?

 A：通勤はもううんざりだ。
 B：近くに引っ越すの？

★von et^3 die Nase voll haben … 〜にうんざりしている。直訳は「〜を鼻いっぱいもっている」。≒ et^4 satt haben (〜に飽き飽きした)。

★Pendeln …通勤すること。pendeln は「職場・学校と家を行ったり来たりする」。すべての動詞は大文字で書くと中性名詞になる。Pendlerは「通勤・通学する人」。Pendel は「時計の振り子」。

129 Das verschlägt mir die Sprache.
[ダス フェアシュレークト ミーア ディー シュプラーハェ]
▶ 驚いてことばも出ない。

A : Hast du gehört, wie groß der Schaden war?
B : Ja, **das verschlägt mir die Sprache.**

 A：被害がどんなに大きかったか聞いた？
 B：うん、驚いてことばも出ない。

★Es verschlägt mir die Sprache. …直訳は「そのことで私はことばがふさがれる」。似ている構文に Es verschlug mir den Atem. (そのことで私は息がつまった) もある。

130 Das kann ja lustig werden.
[ダス カン ヤー ルスティヒ ヴェルデン]
▶ 見ものだね。

A : Der Faulpelz macht wieder ein Nickerchen am Computer und jetzt kommt der Lehrer zur Kontrolle.
B : **Das kann ja lustig werden.**

 A：あの怠け者、またコンピューターの前で居眠りをしてるけど、もうすぐ先生が見回りに来るぞ。
 B：こいつは見ものだね。

★ein Nickerchen machen …昼寝・うたた寝をする。

★Das kann ja lustig werden. …これはおもしろいことになりそうだ。直訳は「これは楽しいことになりうる」。lustig の代わりに nett でも同じ。

131 Das habe ich nicht erwartet.
[ダス ハーベ イヒ ニヒト エアヴァルテット]
▶ 意外だなあ。

A : Frau Bauer ist doch kein schlechter Mensch.
B : **Das habe ich nicht erwartet.** Früher konntest du sie gar nicht leiden und hast keinen guten Faden an ihr gelassen.

　A : バウアーさんは思っていたような悪い人じゃなかった。
　B : 意外だなあ。昔君は彼女が大嫌いで、くそみそにこきおろしてたよね。

★doch …アクセントがなく、予期しなかった事態の転換を表す。

★Das habe ich (von dir) nicht erwartet. …直訳は「それを私は（あなたから）予期・期待しなかった」。

★j⁴ nicht leiden können …～に我慢ならない、～が嫌いだ。

★keinen guten Faden an j³ lassen …くそみそにこきおろす。直訳は「～にいい糸をもたせない」。繊維業で、いい糸が使われていない織物は全体が悪いと評価された。keinen guten Fadenの代わりに kein gutes Haar とも言う。

132 Ich fiel aus allen Wolken.
[イヒ フィール アウス アレン ヴォルケン]
▶ びっくり仰天した。

A : Deine Frau hat auf der Party ein schönes, neues Kleid getragen.
B : Denkste! Als ich dessen Rechung sah, **fiel ich aus allen Wolken!**

　A : 奥さん、パーティーですてきな新しいドレスを着ていたね。
　B : そう思うだろ。ところが、その請求書を見たときは、仰天したよ。

★denkste は denkst du! に由来。「そう思うでしょ、ところが君の思い違いだよ」といった意味（⇒ 13 ）。

★dessen Rechung = die Rechnung des Kleides は「ドレスの請求書」。dessen〈指示代名詞〉のあとに定冠詞 die は入れられない。

★aus allen Wolken fallen …びっくり仰天する、青天の霹靂。直訳は「すべての雲から落ちる」。

133 Ich habe einen Bock geschossen.
[イヒ ハーベ アイネン ボック ゲショッセン]
▶ ミスしちゃった。

A: Gestern **habe ich** beim Schachspiel **einen Bock geschossen**.
*B: Aha, sonst hättest du gewonnen.

　A: 昨日チェスの試合でミスをした。
　B: なるほど、しなければ勝てたんだね。

★einen Bock schießen …へまをする。直訳は「雄ヤギを射る」。射撃大会で雄ヤギは残念賞だったことから。

134 Du hast große Augen gemacht.
[ドゥー ハスト グローセ アウゲン ゲマハト]
▶ 目が点になってたよ。

A: Ich habe nicht damit gerechnet, dass er die Prüfung besteht.
B: Ja, **du hast große Augen gemacht**.

　A: 彼が試験に受かると思ってなかったよ。
　B: うん、あなた目が点になっていたね。

★mit 3格 rechnen …～を見込む、予期する。
★große Augen machen …目が点になる、驚く。直訳は「大きな目をする」。

135 Sie halten uns zum Narren.
[ズィー ハルテン ウンス ツム ナレン]
▶ 人をバカにしている。

A: Vor einer Woche hat die Firma gesagt, sie liefern morgen die Materialien. Heute habe ich sie gefragt und sie sagten wieder „morgen".
B: Eine Unverschämtheit. **Sie halten uns zum Narren**.

　A: 1週間前にその会社は材料を明日配達するって言ったんだ。今日聞いたら、また「明日」だってさ。
　B: ひどい。人をバカにして。

★j⁴ zum Narren halten … ～をばかにしてからかう、愚弄する。直訳は「～を愚か者とみなす」。≒ j⁴ zum besten halten（からかう、ばかにする）、sich⁴ über j⁴ lustig machen（からかう）。

136 Ich zerbreche mir den Kopf.
[イヒ ツェアブレヒェ ミーア デン コプフ]
▶ 悩んでるんだ。

A : **Ich zerbreche mir den Kopf,** was ich meinem Vater zum Geburtstag schenken könnte.
B : Ich habe eine gute Idee.

　A : 父の誕生日に何贈ったらいいか、悩んでるんだ。
　B : いいアイディアがあるよ。

★sich³ den Kopf zerbrechen …頭を悩ます。直訳は「頭を砕く」。sich は体の部分とともに使われる再帰代名詞の3格。meinen Kopf（私の頭）ではなく、mir den Kopf（私におけるその頭）と言う。

137 ohne die Miene zu verziehen
[オーネ ディー ミーネ ツー フェアツィーエン]
▶ 顔色一つ変えず／平然と

A : Mitten im Theaterstück hat ein Kind seinen Text vergessen.
B : Aber die anderen Kinder haben weiter gespielt, **ohne die Miene zu verziehen**.

　A : 劇の真っ最中に一人の子どもがせりふを忘れたね。
　B : でもほかの子たちは、平然と演技を続けたよ。

★mitten in 3格… ～の真ん中で、真っ最中に。
★ohne die Miene zu verziehen …直訳は「顔つきをゆがめることなく」。

138 Ich bin wie im siebten Himmel.
[イヒ ビン ヴィー イム ズィープテン ヒンメル]
▶ 天にものぼる気持ちだ。

A : **Ich bin wie im siebten Himmel.**
B : Es ist dir gelungen, sie dazu zu überreden, mit dir auszugehen, nicht wahr?

　A : 天にものぼる気持ちだ。
　B : デートする約束取りつけたんだね。

★wie im siebten Himmel sein …字義どおりの意味は「7番目の天にいるようだ」。
★„Es ist dir gelungen, sie dazu zu überreden, mit dir auszugehen." は、直訳すると「あなたとデートするよう、彼女を説得するのに成功した」の意。

KAPITEL 2　53

139 Das darf doch nicht wahr sein!
[ダス ダルフ ドホ ニヒト ヴァー ザイン]
▶ ありえない！

A: Dein Handy ist kaputt.
B: **Das darf doch nicht wahr sein!** Ich habe es erst gekauft.

> A：あなたの携帯壊れてるよ。
> B：ありえない！　買ったばかりなのに。

★Das darf (doch) nicht wahr sein! …ありえない、信じられない。直訳は「それは本当であってよいはずがない」。

140 Du schießt mit Kanonen auf Spatzen.
[ドゥー シースト ミット カノーネン アウフ シュパッツェン]
▶ 大げさだなぁ。

A: Ich werde den Arzt bitten, mir Antibiotika zu verschreiben.
B: **Du** hast ja nur einen Schnupfen und **schießt mit Kanonen auf Spatzen.**

> A：お医者さんに抗生剤を処方してくれるよう頼もうっと。
> B：ほんの鼻かぜで大げさだなぁ。

★mit Kanonen auf Spatzen schießen …ちっぽけなことに大騒ぎする、牛刀をもって鶏を裂く。直訳は「大砲でスズメを撃つ」。auf の代わりに nach でもよい。

141 Es ging mir auf die Nerven.
[エス ギング ミーア アウフ ディー ネルフェン]
▶ いらいらした。

A: **Es ging mir auf die Nerven,** dass wir so lange auf den Zug warten mussten.
B: Mir gingen die vielen Menschen auf dem Bahnsteig mehr auf die Nerven.

> A：長い間電車待ちでいらいらしたよ。
> B：私はホームの大混雑のほうが頭にきちゃった。

★j³ auf die Nerven gehen … 〜をいらいらさせる、頭にくる。直訳は「神経に障る」。いろいろなバリエーションでよく使われるフレーズ。j³ auf die Nerven fallen, j³ auf den Geist gehen [fallen], j³ auf den Keks gehen なども同じ意味。

142 Mir fällt ein Stein vom Herzen.
[ミーア フェルト アイン シュタイン フォム ヘルツェン]
▶ ホッとした／胸のつかえがおりた。

A : Der Arzt hat mir gesagt, das war kein Krebs, sondern ein gutartiges Geschwür.
B : Ach, **mir fällt ein Stein vom Herzen.**

 A：お医者さんは、癌じゃなくて良性の腫瘍だったって。
 B：ああよかった、安心した。

★j³ fällt ein Stein vom Herzen. …ホッとして〜の心が軽くなった、胸のつかえがおりた。直訳は「私の心から石が取れて落ちた」。≒ erleichtert sein（ほっとする；⇒ 127 ）、sich⁴ erleichtert fühlen（軽い気持ちになる）。

143 Ich war wie vom Schlag gerührt.
[イヒ ヴァー ヴィー フォム シュラーク ゲリュールト]
▶ 驚いてぼう然とした。

A : Hast du von der Katastrophe gehört?
B : Ja, **ich war wie vom Schlag gerührt.**

 A：大災害のニュース聞いた？
 B：うん、驚いてぼう然としちゃった。

★wie vom Schlag gerührt sein …驚いてぼう然とする。直訳は「まるで卒中になったようだ」。gerührt の代わりに getroffen でも同じ意味。

144 Wieso bist du auf ihn sauer?
[ヴィーゾー ビスト ドゥー アウフ イーン ザウアー]
▶ どうして彼に腹を立ててるの？

A : **Wieso bist du auf ihn** so **sauer?**
B : Weil er sein Wort nicht hält.

 A：なんで彼にそんなに腹を立ててるの？
 B：約束を守らないからだよ。

★auf j⁴ sauer sein … 〜に腹を立てている。直訳は「すっぱい」。
★sein Wort nicht halten …約束を守らない ＝ sein Wort brechen（約束を破る）。

145 Das liegt mir schwer im Magen.
[ダス リークト ミーア シュヴェーア イム マーゲン]
▶ 気が重い。

A : Hast du schon den Aufsatz fertig geschrieben?
B : Nein, noch nicht. **Das liegt mir schwer im Magen.**

 A : もう作文書き終わった？
 B : ううん、まだ。胃に重くのしかかってるんだ。

★j^3 (schwer) im Magen liegen …胃にもたれる、気が重い。実際に食べ物が胃にもたれるときにも用いる。

146 Mir stehen die Haare zu Berge.
[ミーア シュテーエン ディー ハーレ ツー ベルゲ]
▶ 身の毛がよだつ。

A : Wenn ich die Bilder der Katastrophe sehe, **stehen mir die Haare zu Berge.**
B : Ja, mir sträuben sich auch die Haare.

 A : あの災害の写真を見ると、身の毛がよだつ。
 B : 私の髪も逆立つよ。

★Mir stehen die Haare zu Berge. …直訳は「髪の毛が立って山になる」。≒ Mir sträuben sich die Haare. (髪が逆立つ)。
★mir は体の部分をさす3格。meine Haare ではなく、mir die Haare と言う。
★この Berge は複数形ではなく、昔単数3格につけた語尾 -e のなごり。

147 Du bist ganz aus dem Häuschen.
[ドゥー ビスト ガンツ アウス デム ホイスヒェン]
▶ 有頂天だね。

A : Heute möchte mich mein Ex sehen.
B : Deshalb **bist du ganz aus dem Häuschen.**

 A : 今日元カレが私に会いたいんだって。
 B : だから有頂天なんだね。

★(ganz/total/völlig) aus dem Häuschen sein …興奮している、うれしくて有頂天だ。理性を失った状況をさし、たまに逆上の意味でも使われる。直訳は「(完全に) うちから飛び出している」。

148 Ich habe heute einen schwarzen Tag.

[イヒ ハーベ ホイテ アイネン シュヴァルツェン ターク]

▶ 今日はついてない。

A：Hast du dich verletzt?
B：Ja, **ich habe heute einen schwarzen Tag.** Ich habe mein Portemonnaie verloren. Vor Aufregung bin ich gestürzt und habe mir den Fuß verstaucht.

 A：けがしたの？
 B：うん、今日はついてないんだ。お財布をなくして、あわてて転んで、足をくじいたの。

★ein schwarzer Tag …ついてない日。字義どおりには「黒い日」。

★Portemonnaie …財布〈中性〉。フランス語から借用されたので発音に注意。新正書法では 発音どおり Portmonee とも書くが、反対意見が多い。ほかに、Geldtasche〈女性名詞〉、Geldbeutel〈男性名詞〉、Brieftasche（札入れ）などの表現がある。

★vor Aufregung …興奮のあまり。

★stürzen …転ぶ ≒ hinfallen

149 Die kann mir den Buckel 'runterrutschen.

[ディー カン ミーア デン ブッケル ルンタールッチェン]

▶ あいつなんか勝手にしろ。

A：Sie hat dich schon wieder betrogen?
B：Ja, **die kann mir den Buckel 'runterrutschen.**

 A：彼女また浮気したんだって？
 B：ああ、あいつなんか勝手にしやがれ。

★Der kann mir den Buckel herunterrutschen. …直訳は「あいつなんか私の背中を滑りやがれ」。背中を向けたり、お尻を見せる行為は反抗・軽蔑の表れ。Buckel は中世の盾の金具を意味して「その金具に滑って転べ」だという説もある。類義表現の mit j^3 nichts mehr zu tun haben wollen（〜とはもう関わりあいたくない）や von j^3 nichts wissen wollen（〜とは一切関わりをもちたくない）よりも荒々しい表現。

150 Mir bleibt das Wort im Hals stecken.
[ミーア ブライプト ダス ヴォルト イム ハルツ シュテッケン]
▶ 驚いてことばも出ない。

A : Du hast einen Preis gewonnen!
B : **Mir bleibt das Wort im Hals stecken.**

    A : 君が賞をとったよ！
    B : 驚いてことばも出ない。

★einen Preis gewinnen …賞をとる。動詞はほかに bekommen や machen も使える。

★Mir bleibt das Wort im Hals stecken. …驚いてことばも出ない。直訳は「ことばが私ののどに引っかかっている」。

151 Hast du nur deswegen die Nerven verloren?
[ハスト ドゥー ヌーア デスヴェーゲン ディー ネルフェン フェアローレン]
▶ たったそれだけのことでカッとなったの？

A : Scheiße! Ich habe schon wieder beim Computerspiel verloren.
B : **Hast du nur deswegen die Nerven verloren?**

    A : クソ！ またコンピューターゲームで負けた！
    B : たったそれだけのことでカッカしてるの？

★die Nerven verlieren …平静さを失う、カッとなる。直訳は「神経を失う」。⇔ die Nerven behalten (平静さを保つ；直訳は「神経を保つ」)。

152 Ich habe ihn aus der Fassung gebracht.
[イヒ ハーベ イーン アウス デア ファッスング ゲブラハト]
▶ 彼を怒らせちゃった。

A : Wieso ist er so wütend auf dich?
B : **Ich habe ihn aus der Fassung gebracht,** indem ich ihn fragte, ob seine Tochter einen Babybauch hat.

    A : なぜ彼はあなたに激怒しているの？
    B : お嬢さんはおめでたでおなかが大きいのかって聞いて、怒らせちゃったんだ。

★j⁴ aus der Fassung bringen …怒らせる、うろたえさせる。直訳は「平静心を失わせる」。Fassung の代わりに Ruhe も使える。

★indem … 〜することによって〈従属接続詞〉。

153 Ich bin mit meinem Latein am Ende.
[イヒ ビン ミット マイネム ラタイン アム エンデ]

▶ 途方に暮れている。

A : Will Julia kurz vor dem Abschluss mit ihrem Studium aufhören?
B : Ja, ich habe alles Mögliche versucht, sie davon abzuhalten, aber **ich bin** schon **mit meinem Latein am Ende.**

 A：ユーリアは卒業間近なのに、大学を中退したいんだって？
 B：うん、思いとどまらせるようあらゆる策を講じたけど、もう途方に暮れてるんだ。

★mit dem Studium aufhören〈自動詞〉≒ das Studium aufgeben〈他動詞〉…学業を放棄する。

★sie davon abhalten〈他動詞〉≒ ihr davon abraten〈自動詞〉…彼女を思いとどまらせる。

★mit seinem Latein am Ende sein …途方に暮れている、策は尽きた。直訳は「〜のラテン語は尽きた」。

154 Das hätte ich mir nicht träumen lassen.
[ダス ヘッテ イヒ ミーア ニヒト トロイメン ラッセン]

▶ 夢にも思わなかった。

A : Unser Mitschüler hat die Wahlen gewonnen!
B : **Das hätte ich mir nicht träumen lassen,** dass der Lausbub einmal Abgeordneter würde.

 A：僕たちの同級生が選挙に勝ったよ！
 B：あの腕白坊主が将来国会議員になるなんて、夢にも思わなかった。

★Mitschüler …高校までの同級生。大学の同級生は Kommilitone〈男性弱変化名詞〉、Kommilitonin〈女性〉。

★einmal …ここでは「将来(≒ in Zukunft)」の意。ほかに「かつて、一度」という意味もある。

★Abgeordneter（議員）は形容詞の名詞化。

KAPITEL 2

155 Das schlägt dem Fass den Boden aus.

[ダス シュレークト デム ファス デン ボーデン アウス]

▶ 厚かましいにもほどがある。

A: Der Dieb, der mein Fahrrad gestohlen hat, hat einen Unfall gebaut und beschwert sich bei der Polizei, dass die Bremse versagt hat.

B: **Das schlägt dem Fass den Boden aus.**

 A: 僕の自転車を盗んだ泥棒は事故を起こして、ブレーキが効かなかったって警察で文句を言ってるんだ。
 B: 厚かましいにもほどがあるね。

★einen Unfall bauen …事故を起こす。bauen は verursachen（引き起こす）より俗語。

★sich⁴ bei j³（über et⁴）beschweren … ～に（～について）苦情を言う。

★Das schlägt dem Fass den Boden aus. …直訳は「桶の底を打ち抜く」。昔、傷んだ飲み物を売った商人は、罰としてそれが入った樽をたたき割られたからだという説がある。しかも底だとすべて流れて無になる。ほかにも、人の行為に憤りを示す表現として、Unverschämtheit（恥知らずな行い）、Frechheit（生意気さ；⇒ 97 ）などの言い方がある。

156 Wir haben den Kopf nicht hängen lassen.

[ヴィーア ハーベン デン コプフ ニヒト ヘンゲン ラッセン]

▶ 私たちはへこたれなかった。

A: Wie ist es nach der großen Katastrophe geworden?

B: **Wir haben den Kopf nicht hängen lassen,** sondern wir haben es geschafft, es wiederaufzubauen.

 A: あの大災害のあとはどうなったの？
 B: 私たちはへこたれずに、復興を成し遂げた。

★den Kopf hängen lassen …うなだれる、意気消沈する。直訳は「頭をたれる」。≒ die Flügel hängen lassen（翼をたらす）⇔ den Kopf nicht hängen lassen（気を落とさない、がんばる）。

★助動詞として使われる lassen の過去分詞には ge- がつかない。

157 Es fällt mir wie Schuppen von den Augen. CHECK✓
［エス　フェルト　ミーア　ヴィー　シュッペン　フォン　デン　アウゲン］
▶ 目からうろこ。

A : Der Japaner hat „kekkou desu" gesagt. Damit meint er nicht „es ist schön", sondern „nein, danke".
B : Aha, so war das. **Es fällt mir wie Schuppen von den Augen.**

> A : あの日本人が「けっこうです」と言ったのは、「すばらしい」という意味ではなくて、「いらない」を意味しているんだよ。
> B : ああ、そうだったんだ。目からうろこだ。

★Es fällt mir wie Schuppen von den Augen. …直訳は「それは私の目からうろこのように落ちる」。

158 Du bist anscheinend mit dem linken Bein aufgestanden. CHECK✓
［ドゥー　ビスト　アンシャイネント　ミット　デム　リンケン　バイン　アウフゲシュタンデン］
▶ 虫のいどころが悪いんだね。

A : Heute geht mir alles auf die Nerven.
B : **Du bist anscheinend mit dem linken Bein aufgestanden.**

> A : 今日は何にでもイライラするなあ。
> B : 虫のいどころが悪いんだね。

★Alles geht mir auf die Nerven. …すべてが私の神経に障る。
★anscheinend …見たところ（どうやら）。
★mit dem linken Bein (zuerst) aufgestanden sein …機嫌が悪い、虫のいどころが悪い。直訳は「(まず) 左足で起床した」。Bein の代わりに Fuß を使っても同じ意味。

159 Dann würde ich selber in der Tinte sitzen. CHECK✓
［ダン　ヴュルデ　イヒ　ゼルバー　イン　デア　ティンテ　ズィッツェン］
▶ そんなことされたら困る。

A : Kann ich deine 100 Euro erst im nächsten Monat zurückgeben?
B : **Dann würde ich selber in der Tinte sitzen.**

> A : あの 100 ユーロ、来月まで貸しといてくれない？
> B : そんなことされたら、こっちが困るなあ。

★in der Tinte sitzen …困っている。直訳は「インクの中にすわっている」。インクで書かれた督促状などを示唆していて、本来は金銭的な困窮のみを意味した（⇒ 295、448）。

KAPITEL 2

160 Du machst ein Gesicht wie sieben Tage Regenwetter.
［ドゥー マハスト アイン ゲズィヒト ヴィー ズィーベン ターゲ レーゲンヴェッター］
▶ 仏頂づらしてるね。

A : Heute wollte ich zeitig gehen, aber ich soll Überstunden machen.
B : Deshalb **machst du ein Gesicht wie sieben Tage Regenwetter.**

　　A : 今日は早く帰ろうと思っていたのに、残業しろだってさ。
　　B : だから仏頂づらしてるんだね。

★ein Gesicht wie sieben Tage Regenwetter machen …直訳は「7日間雨のような顔をする」。日数はいろいろなバリエーションがあり、wie drei Tage（3日間）や wie zehn Tage（10日間）とも言う。

★zeitig …早めに ≒ frühzeitig, früher

161 Ich stand da wie die Kuh vorm neuen Tor.
［イヒ シュタント ダー ヴィー ディー クー フォアム ノイエン トーア］
▶ 途方に暮れた。

A : Kannst du Griechisch?
B : Kein Wort. In Griechenland **stand ich da wie die Kuh vorm neuen Tor,** denn dort kam ich mir wie ein Analphabet vor.

　　A : ギリシャ語できるの？
　　B : ひとこともダメ。ギリシャでは途方に暮れちゃった。文盲の気分だったんだもん。

★dastehen wie die Kuh vorm neuen Tor …（新しいこと・環境に）途方に暮れる。直訳は「新しい門の前の牛のように立ちつくす」。

162 Ich will mit ihm nichts mehr zu tun haben.
［イヒ ヴィル ミット イーム ニヒツ メーア ツー トゥーン ハーベン］
▶ 彼とはもう関わりあいたくない。

A : Er geht mir immer wieder auf die Nerven. **Ich will mit ihm nichts mehr zu tun haben.**
B : Was hattest du denn mit ihm?

　　A : 彼には再三頭にくる。もう彼とは関わりあいたくない。
　　B : いったい彼と何があったの？

★mit j³ nichts mehr zu tun haben wollen … 〜とはもう関わりあいたくない。tun のほかに schaffen とも言うが、machen は使わない。von j³ nichts (mehr) wissen wollen や j¹ kann mir den Buckel herunterrutschen（⇒ 149 ）などと言ってもほぼ同じ。

KAPITEL 2

Kapitel 3

意見・主張 フレーズ

自分の考えや意見を述べて
自己主張するのは、とても大切なこと。
はっきりした言い方だけでなく、
曖昧な答え方も合わせて覚えておくと便利。

163 Toll!
[トル]

▶ かっこいい／すごくいい！

A : Wie sehe ich im neuen Anzug aus?
B : **Toll!** Kleider machen Leute.

 A : 僕の新しいスーツはどう？
 B : かっこいい！ 馬子にも衣装ね。

★Kleider machen Leute. …直訳は「服が人を作る」。

164 ausgezeichnet
[アウスゲツァイヒネット]

▶ 抜群な

A : Du kannst ja **ausgezeichnet** kochen.
B : Danke, du kannst auch gut Komplimente machen.

 A : 料理抜群にうまいね。
 B : ありがとう、あなたもお世辞がじょうずね。

★ausgezeichnet は gut や sehr gut よりさらによい最高のほめことば。
★Komplimente machen …ほめる、お世辞を言う。

165 mäßig
[メースィヒ]
▶ まあまあ

A: Wie gefällt dir meine neue Hose?
B: **Mäßig,** aber ich will dir nicht zu nah treten.

> A：僕の新しいズボンどう？
> B：まあまあってとこだけど、あなたの感情を傷つけたくないな。

★j³ gefallen …j³ は主語の人・物が気に入っている、主語の人・物は j³ に気に入られている。上の例の場合は、直訳すると「私の新しいズボンはどのように君に気に入られているか？」という意味。

★j³ zu nahe treten … 〜の気分・感情を害する。直訳は「〜に近寄りすぎる」。≒ j⁴ beleidigen (〜を侮辱する)、j⁴ kritisieren (〜を批判する)。

★ただし、j³ zu nahe kommen ≒ j⁴ belästigen は「(女性に) 近づきすぎる、セクハラする」という意味。

166 Ich denke / Ich glaube,
[イヒ　デンケ/イヒ　グラウベ]
▶ 私が思うに、

A: **Ich denke,** Japan hat morgen keine Chance.
B: Ach so? **Ich glaube,** Japan wird gewinnen.

> A：僕が思うに、日本は明日負けるだろうな。
> B：えっ、そう？　私は日本が勝つと思う。

★denke は英語の think に、glaube は英語の believe に相当する。「〜と私は考える、思う」という意味。

★meinen は考えるだけの場合 (= denken) と、考えたことを口に出す場合 (= sagen) がある。

★似ている表現の「私の意見によれば」は meiner Meinung nach (⇒ 171) や nach meiner Meinung, meiner Ansicht nach, nach meiner Ansicht などで、いずれも少し文語調。

★keine Chance haben …見込みがない。

KAPITEL 3

167 Je nachdem.
[イェー ナーハデーム]
▶ ことと次第によっては。

A: Willst du auch am Ausflug teilnehmen?
B: **Je nachdem.**

　A：あなたもハイキングに参加する？
　B：ことと次第によってはね。

★an et³ teilnehmen … ～に参加する。

★je nachdem のあとに、具体的に何次第なのか付け加えることもできる。例: Je nachdem, wie das Wetter ist. (天気しだいではね)。

168 Auf jeden Fall.
[アウフ イェーデン ファル]
▶ 何がなんでも。

A: Möchtest du Bier trinken?
B: **Auf jeden Fall.**

　A：ビールが飲みたいの？
　B：何がなんでも飲みたい。

★auf jeden Fall …どんなことがあっても、是が非でも。Ich möchte auf jeden Fall Bier trinken. の省略。≒ jedenfalls (いずれにせよ)。Fall〈男性名詞〉は「場合、事態」。

169 Auf keinen Fall.
[アウフ カイネン ファル]
▶ 絶対いやだ。

A: Willst du eine Schlange halten?
B: **Auf keinen Fall.**

　A：ヘビ飼いたい？
　B：絶対やだ。

★auf keinen Fall …決して～ない ≒ niemals

170 Das geht nicht.
[ダス ゲート ニヒト]
▶ 無理だ。

A : Machst du das bis morgen?
B : **Das geht nicht.** So was kann man nicht aus dem Ärmel schütteln.

　A：これ、明日までにやってくれる？
　B：無理。そんなこと簡単にはできないよ。

★Das geht nicht. …それは不可能だ、ダメだ、無理だ。
★so was は so etwas の口語で、「そのようなこと」。
★et⁴ aus dem Ärmel schütteln …難なくやってのける。直訳は「袖を振って～を中から出す」。手品師をイメージしている。et⁴ aus den Ärmeln schütteln と複数形を使うこともある。

171 meiner Meinung nach
[マイナー マイヌング ナーハ]
▶ 私の意見は

A : Der Politiker soll schon wieder bestochen worden sein.
B : **Meiner Meinung nach** soll er zurücktreten.

　A：その政治家はまた賄賂を受け取ったんだって。
　B：私の意見では、彼は辞職すべきだ。

★meiner Meinung nach の前置詞 nach は「～の判断基準に従えば」の意味では前置も後置もできる (nach meiner Meinung)。
★類義表現の meiner Ansicht nach や nach meiner Ansicht（私の見解では）は若干文語調。
★対話例の A の sollen はうわさ・伝聞を表す「～だそうだ」で、B の sollen は話者の意見を表す「～べきだ」の意。

KAPITEL 3

172 Was mich betrifft,
[ヴァス ミヒ ベトリフト]
▶ **私の場合、**

A : Ich habe noch heute ein Referat zu schreiben.
B : **Was mich betrifft,** habe ich heute schon zwei Referate geschrieben.

　A：今日中にレポートを書かなくちゃ。
　B：僕の場合は、今日すでに2本書いたよ。

★„habe ... zu schreiben" は「書かなくてはならない」。„muss ... schreiben" とほぼ同じ意味。

★was mich betrifft …私に関して言えば。betrifft の代わりに angeht も使う。

173 Was meinst du dazu?
[ヴァス マインスト ドゥー ダツー]
▶ **どう思う？**

A : **Was meinst du dazu?**
B : Hm, ich bin dagegen.

　A：君はどう思う？
　B：えーと、私は反対だな。

★Was meinst du dazu? …それについて君はどう考えるか？ ≒ Wie denkst du darüber? / Was hältst du davon?

★dagegen sein …反対だ ⇔ dafür sein（賛成だ）。

174 Es ist mir kalt.
[エス イスト ミーア カルト]
▶ **寒い。**

A : **Es ist mir kalt.**
B : Ach so? Mir ist heiß.

　A：寒い！
　B：そう？ 僕は暑いけど。

★「〜にとっては」を表す3格が入ると、非人称主語の es は文頭以外では省略できる。

★なお、Ich bin kalt. は「私は平気でひどいことをする冷たい人間だ」の意味になってしまうので注意。

★ほかに kühl（涼しい）、warm（暖かい）、schwül（蒸し暑い）などにも使える。

175 Das ist ein Missverständnis.

[ダス イスト アイン ミスフェアシュテントニス]

▶ **誤解だよ。**

A : Laut Claudia sollst du gesagt haben, dass ich geschmacklos sei.
B : **Das ist ein Missverständnis.** Sie hat mir das Wort im Munde umgedreht. Ich habe gesagt, dass das eine Geschmackssache ist.

> A : クラウディアによると、あなたは私のこと趣味が悪いって言ったそうだけど。
> B : それは誤解だ。彼女は僕の言ったことを間違えて伝えてるよ。僕は「それは趣味の問題だ」と言ったんだ。

★laut 3 格… ～によると。今日では 2 格が使われることはほとんどない。≒ nach
★Das ist ein Missverständnis. …それは誤解だ。Da liegt ein Missverständnis vor. と言うと少し高尚になる。旧正書法では Mißverständnis と書く。
★j^3 das Wort im Munde umdrehen … ～の言ったことを(わざと)曲解する・変えて伝える。直訳は「ことばを口の中でねじ曲げる」。umdrehen は herumdrehen のこと。≒ et^4 in die falsche Kehle bekommen (⇒ 244)。

176 Das ist mir egal.

[ダス イスト ミーア エガール]

▶ **どっちでもいい。**

A : Möchtest du im Sommer ans Meer oder in die Berge fahren?
B : **Das ist mir egal.** Hauptsache, das Essen ist gut.

> A : 夏に海へ行きたい？ それとも山？
> B : それはどっちでもいいな。料理がおいしければね。

★Das ist mir egal. …直訳は「私にとってはどうでもいい」。egal は gleichgültig と同じで、南部では wurst または wurscht, 北部では schnuppe とも言う。
★Hauptsache …大事な点、肝心なこと。上の例は „Die Hauptsache ist, dass das Essen gut ist." (大事なのは料理がおいしいことだ) を省略した形。

KAPITEL 3　　**69**

177 Es kommt darauf an.
[エス コムト ダラウフ アン]
▶ 場合による。

A : Schreibt man Joghurt mit „h"?
B : **Es kommt darauf an.** In der alten Rechtschreibung ja, in der neuen nein.

　A：「ヨーグルト」にはhを入れるの？
　B：場合による。古い正書法では入れるし、新しいのでは入れない。

★auf 4格 ankommen … 〜しだいだ。「それしだいだ」の auf es は融合して darauf となる。

178 Ich habe es geahnt.
[イヒ ハーベ エス ゲアーント]
▶ そんな気がしてたんだ。

A : Ich habe gehört, dass sich Klaus mit Susi verlobt hat.
B : Ach, **ich habe es geahnt.** Die beiden machten ja einander verliebte Augen.

　A：クラウスとスージーが婚約したんだって。
　B：ああ、そんな気がしてたんだ。あの二人熱いまなざしでみつめ合ってたし。

★sich⁴ mit j³ verloben … 〜と婚約する。
★et⁴ ahnen … 〜を予感する。

179 Das ist nicht ausgeschlossen.
[ダス イスト ニヒト アウスゲシュロッセン]
▶ ないとは言えないよ。

A : Vielleicht ist das Los ein Volltreffer.
B : **Das ist nicht ausgeschlossen.**

　A：このくじが大当たりだったりして。
　B：ないとは言えないよ。

★Das ist nicht ausgeschlossen. …直訳は「それは除外されてはいない」。本来は ausschließen（除外する）の状態受動が形容詞になったもの。

180 Das liegt mir nicht.
[ダス リークト ミーア ニヒト]
▶ 性に合わない。

A: Mein Computer spinnt. Kannst du ihn dir ansehen?
B: Was, Informationstechnik? **Das liegt mir nicht.**

> A: コンピューターの調子がおかしいの。ちょっと見てくれない?
> B: 何だって、IT? ダメ、性に合わないんだ。

★spinnen … 〈俗語で〉変なことを言う・やらかす。
★j³ nicht liegen … 〜の性に合わない ⇔ j³ liegen (〜に向いている)。

181 Das ist meine Schuld.
[ダス イスト マイネ シュルト]
▶ 私のせいです。

A: Ich bin über deine Tasche gestolpert.
B: Ja, ja. **Das ist meine Schuld.**

> A: あなたのバッグにつまずいたんだけど。
> B: はいはい、悪うございました。

★über et⁴ stolpern … 〜につまずく・つまずいて転ぶ。
★Das ist meine Schuld. …それは私の責任だ。

182 Geht schon. Passt schon.
[ゲート ショーン パスト ショーン]
▶ いいからいいから、だいじょうぶ。

A: Hast du alles? Erreichst du noch den Zug? Ruf mich an, wenn etwas passiert!
B: **Geht schon. Passt schon.**

> A: 忘れ物はない? まだ電車に間に合う? 何かあったら電話するんだよ。
> B: いいからいいから、だいじょうぶ。

★„Geht schon. Passt schon." は „Es geht schon. Es passt schon." の省略。「きっとうまくいく、確かにだいじょうぶだ」ということ。
★schon はアクセントのない心態詞で、「きっと、確かに」の気持ちがこもる。

KAPITEL 3

183 Es ist höchste Zeit.
[エス イスト ヘヒステ ツァイト]
▶ 潮時だ。

A: Mein Computer ist wieder abgestürzt.
B: **Es ist höchste Zeit,** einen neuen zu kaufen.

 A: コンピューターがまたクラッシュした。
 B: 新しいのを買う潮時だね。

★Es ist höchste Zeit. …潮時だ。直訳は「最高の時だ」。

184 Wenn es hoch kommt.
[ヴェン エス ホーホ コムト]
▶ せいぜい。

A: Wie viele Leute haben daran teilgenommen? Fünfzig?
B: **Wenn es hoch kommt.**

 A: 何人がそれに参加したの？ 50人？
 B: せいぜいね。

★Wenn es hoch kommt. …せいぜい、多く見積もって ＝ höchstens

185 Wenn schon, denn schon.
[ヴェン ショーン デン ショーン]
▶ やるならとことんだ。

A: Hast du davon gleich zehn Stück bestellt?
B: Ja, **wenn schon, denn schon.**

 A: それ10個も注文しちゃったの？
 B: うん、やるならとことんだ。

★gleich … (数詞の前で) 同時に、一度に。

186 Das sieht dir ähnlich.
[ダス ズィート ディーア エーンリヒ]
▶ いかにも君らしい。

A: Ich möchte mal Bungee-Springen probieren.
B: **Das sieht dir ähnlich.**

　A: 一度バンジージャンプしてみたいな。
　B: いかにも君らしいね。

★Das sieht j³ ähnlich. …いかにも～らしい。直訳は「それは～に似て見える」。

187 Es kommt auf dich an.
[エス コムト アウフ ディヒ アン]
▶ 君しだいだ。

A: Wann gehen wir ins Kino, um den neuen Film zu sehen?
B: **Es kommt auf dich an.** Wann hast du denn Zeit?

　A: あの新作を見に、いつ映画館に行こうか？
　B: 君しだいだよ。いつなら暇？

★auf 4格 ankommen は「～しだいである」の意。たとえば「天気しだいだ」は Es kommt auf das Wetter an.

188 Das ist gar kein Ausdruck.
[ダス イスト ガー カイン アウスドゥルック]
▶ そんなもんじゃないよ。

A: In der letzten Nacht war es sehr heiß, nicht wahr?
B: Heiß? **Das ist gar kein Ausdruck.** Es war so schwül, dass ich mich die ganze Nacht schlaflos im Bett gewälzt habe.

　A: 昨日の夜は暑かったねえ。
　B: 暑いなんてもんじゃない。あまりにも蒸し暑くて、僕は一晩中眠れずにベッドでのたうってたよ。

★Das ist gar kein Ausdruck. …直訳は「それは全く表現になっていない」。
★„so..., dass ～" は英語の "so..., that ～"（あまりにも…で、～なぐらいだ）に当たる。

KAPITEL 3

189 Dagegen lässt sich nichts machen.

[ダゲーゲン レスト ズィヒ ニヒツ マヘェン]

▶ しかたないよ。

A : Warum gehen die Kinder noch nicht ins Bett?
B : **Dagegen lässt sich nichts machen.** Sie sind außer Rand und Band, weil sie morgen einen Ausflug haben.

  A : なんで子どもたちはまだ寝ないんだ？
  B : しかたないよ。明日遠足で有頂天なんだから。

★Dagegen lässt sich nichts machen. …しかたない、どうしようもない = Dagegen kann man nichts machen.（それに対して人は何もすることができない）。

★außer Rand und Band sein …（子どもなどが）有頂天になって羽目をはずす。直訳は「縁取りとたががはずれる」。縁取りとたがのない樽はバラバラになってしまうことから。

190 Du bist auf dem Holzweg.

[ドゥー ビスト アウフ デム ホルツヴェーク]

▶ 思い違いだよ。

A : Was Klaus alles kann, ist unglaublich.
B : **Du bist auf dem Holzweg.** Er ist nur ein Angeber.

  A : クラウスは信じられないくらい何でもできるんだね。
  B : 思い違いをしているよ。彼は大風呂敷を広げるんだ。

★unglaublich …信じられない = nicht zu glauben sein（⇒ 109 ）。

★auf dem Holzweg sein …間違っている、思い違いだ。直訳は「木の道（≒邪道）の上にいる」。Holzwegは切った木を運び出すだけの狭い道でどこにも通じていないので、登山者は入り込まないように注意しないといけない。

★Angeber …自慢ばかりする人、偉そうに言う人。

191 Das bildest du dir ein.
[ダス ビルデスト ドゥー ディーア アイン]
▶ 思い過ごしだよ。

A : Du bist mir aus dem Weg gegangen.
B : **Das bildest du dir ein.**

　　A：僕を避けてたでしょ。
　　B：思い過ごしよ。

★3格 aus dem Weg gehen … ～を避ける。
★sich³ 4格 einbilden … ～を(間違って)思い込む。

192 Mich geht das nichts an.
[ミヒ ゲート ダス ニヒツ アン]
▶ 私には関係ない。

A : Bist du eifersüchtig, weil Maria mit Willi ausgeht?
B : Wieso? **Mich geht das nichts an.**

　　A：マリアがヴィリーとデートして、やいてるんじゃないの？
　　B：どうして？ 僕には関係ないよ。

★mit j³ ausgehen … ～と外出する。それが男と女の場合「デートする」になる。
★j⁴ nichts angehen … ～には関係ない。mich も nichts も4格。

193 Das war mir zu hoch.
[ダス ヴァー ミーア ツー ホーホ]
▶ お手上げだった。

A : Hast du den Vortrag verstanden?
B : Nein, **das war mir zu hoch.**

　　A：講演理解できた？
　　B：いや、僕にはお手上げだった。

★j³ zu hoch sein … ～には程度が高すぎる、理解できない。

194 Ich habe eine gute Idee.
[イヒ ハーベ アイネ グーテ イデー]
▶ いいこと思いついた。

A: Wem soll ich die komplizierte Arbeit auftragen?
B: **Ich habe eine gute Idee.** Wie wäre es mit Albert? Der wird nicht nein sagen können.

> A: この厄介な仕事、だれにやらせたらいいかな。
> B: いい考えがある。アルベルトはどう？ あの人はノーって言えないでしょう。

★j³ et⁴ auftragen … ～に～を委託する ≒ j⁴ mit et³ beauftragen
★nicht nein sagen können … (気が弱くて)ノーと言えない。

195 Das ist meine schwache Seite.
[ダス イスト マイネ シュヴァハェ ザイテ]
▶ 苦手なんだ。

A: Kannst du mir den Satz ins Englische übersetzen?
B: Was, Englisch? Ausgeschlossen, **das ist meine schwache Seite.**

> A: この文を英語に訳してくれる？
> B: えーっ、英語？ 無理、不得意なの。

★meine schwache Seite sein …私は～に弱い、～に目がない、～が不得意だ。直訳は「私の弱みだ」。≒ meine Schwäche sein (私の弱点だ) ⇔ meine starke Seite sein (私の強みだ) ≒ meine Stärke sein (得意だ)。

196 Es liegt mir viel daran.
[エス リークト ミーア フィール ダラン]
▶ 私にとって重要だ。

A: Möchtest du in einem Haus wohnen oder in einer Wohnung?
B: In einem Haus mit Garten. Denn **es liegt mir viel daran,** dass ich im Garten Blumen und Gemüse pflanzen kann.

> A: 一戸建てに住みたい？ それとも集合住宅？
> B: 庭付き一戸建て。というのは、庭で花や野菜を育てられることが、私にとってはとても重要だから。

★j³ viel daran liegen, dass … ～にとって重要だ。形容詞 wichtig や relevant と同義。
⇔ j³ nichts daran liegen, dass (～にとってどうでもいい) ≒ unwichtig, irrelevant (重要でない)。

KAPITEL 3

197 Das kommt nicht in Frage.
[ダス コムト ニヒト イン フラーゲ]
▶ 問題外だ。

A : Die Jungs suchen noch Mitreisende. Hätte deine Tochter Lust dazu?
B : **Das kommt gar nicht in Frage.**

 A : あの若者たちがまだ旅行の参加者を探してるよ。おたくの娘さんは行く気あるかな？
 B : 問題外、絶対ダメだ。

★Jungs は Junge（少年、若者）の複数形 Jungen の俗語。

198 Da kannst du lange warten.
[ダー カンスト ドゥー ランゲ ヴァルテン]
▶ 期待してもむだだ。

A : Ich hoffe auf eine fette Rente.
B : **Da kannst du lange warten.**

 A : 年金たっぷりもらえるといいなあ。
 B : それは期待してもむだだよ。

★Da kannst du lange warten. …待ってもむだだ。ありえない。直訳は「それなら君は長いこと待てる」。

199 Darüber will ich noch schlafen.
[ダリューバー ヴィル イヒ ノホ シュラーフェン]
▶ 一晩よく考えたい。

A : Möchtest du auch an dem Kurs teilnehmen?
B : **Darüber will ich noch schlafen.**

 A : 君もその講習会に参加しない？
 B : 一晩よく考えたいな。

★an et³ teilnehmen … 〜に参加する。
★über et⁴ schlafen wollen …もう一度（一晩）よく考えたい。直訳は「それに関して眠りたい」。

KAPITEL 3 77

200 Das war unter aller Kanone.
[ダス ヴァー ウンター アラー カノーネ]
▶ とてもひどかった。

A: Wie war das Theater?
B: **Das war unter aller Kanone.** Ich will es mir nie wieder ansehen.

A: 観劇はどうだった？
B: 最低だった。もう二度とごめんよ。

★unter aller Kanone sein …はしにも棒にも引っかからないほどおそまつだった。直訳は「すべての大砲の下だ」。ラテン語の „canone" (基準) を、生徒たちがふざけてドイツ語の „Kanone" (大砲) に翻訳した。ラテン語の原典は「すべての基準以下だ」で、unter aller Kritik sein とも言う。

201 Ich tappe auch im Dunkeln.
[イヒ タッペ アウホ イム ドゥンケルン]
▶ 私もわからなくてあれこれ考えている。

A: Warum hat sie so plötzlich gekündigt?
B: **Ich tappe auch im Dunkeln.**

A: 彼女なぜこんなに突然辞職したんだろう？
B: 私もわからなくてあれこれ考えてるんだけど。

★im Dunkeln tappen …暗中模索する。直訳は「暗がりで手探りする」。

★kündigen …自動詞は「辞職する」、他動詞は「～を解雇する」。

202 Darauf kannst du Gift nehmen.
[ダラウフ カンスト ドゥー ギフト ネーメン]
▶ 間違いない／それは絶対確かだ。

A: Der Kollege hat mich wieder belästigt.
B: Ich werde ihm eine Lektion erteilen. **Darauf kannst du Gift nehmen.**

A: 職場の人がまたセクハラをしたの。
B: 僕が彼に厳しく説教しよう。それは絶対確かだ、約束する。

★j⁴ belästigen …しつこくまとわりつく、セクハラする。

★j³ eine Lektion erteilen …厳しくけん責する ≒ j³ den Kopf waschen (～の頭を洗う、叱り飛ばす、しぼる)。

★Darauf kannst du Gift nehmen. …これは絶対に間違いない、だいじょうぶだ。直訳は「それに賭けて君は毒を飲むことができる」。

203 Wenn es dir nichts ausmacht.
[ヴェン エス ディーア ニヒツ アウスマハト]
▶ **君がよければ。**

A : Du wolltest italienisch essen, nicht wahr?
B : Ja, **wenn es dir nichts ausmacht.**

> A : イタリアンが食べたいって言ってたね。
> B : うん、君がそれでかまわなければ。

★「～料理を」食べるはふつう副詞で表す。例：japanisch essen（和食を食べる）。
★wenn es dir nichts ausmacht …あなたがそれでかまわなければ。

204 Ich kehre den Spieß um.
[イヒ ケーレ デン シュピース ウム]
▶ **ほこ先を変えよう。**

A : Das ist alles, worüber ich mich über dich ärgere.
B : Gut, dann **kehre ich den Spieß um** und sage, worüber ich mich über dich ärgere.

> A : これが私があなたに腹を立てていることのすべてです。
> B : よし、じゃあほこ先を変えて、僕が君に腹を立てていることを言おう。

★sich⁴ über 4格 ärgern … ～に腹を立てる。
★den Spieß umkehren …逆にほこ先を向ける（同じ方法で・論拠を逆手にとって）。umkehren は umdrehen でも同じ意味。

205 Ich möchte nicht leer ausgehen.
[イヒ メヒテ ニヒト レーア アウスゲーエン]
▶ **何の収穫もないのはいやだ。**

A : Ich komme später zur Party.
B : Ich bin rechtzeitig da. **Ich möchte** doch **nicht leer ausgehen.**

> A : 私はあとからパーティーに行くね。
> B : 僕は時間どおりに行くよ。食べそこなうのはいやだからね。

★rechtzeitig …時間どおりに、間に合う時間に。frühzeitig は「早めの時間に」。vorzeitig は「予定より早く」。
★leer ausgehen …何の収穫・成果もない。直訳は「空（カラ）に終わる」。

KAPITEL 3

206 Das ist mir Jacke wie Hose.
[ダス イスト ミーア ヤッケ ヴィー ホーゼ]
▶ 私には同じことだ。

A: Ich weiß nicht, ob ich dir morgen helfen kann.
B: **Das ist mir Jacke wie Hose.** Ich kann es schon alleine schaffen.

 A: 明日手伝えるかどうかわからないんだ。
 B: 同じことよ。どうせ私だけでできるから。

★(j³) Jacke wie Hose sein …（〜とっては）同じことだ。直訳は「上着かズボンだ」。上着とズボンは同じ布地で作ったことから。

207 Ich beiße in den sauren Apfel.
[イヒ バイセ イン デン ザウレン アプフェル]
▶ いやだけどしかたない。

A: Herr Schulz ist krank geworden. Kann jemand ihn vertreten?
B: Gut, **ich beiße in den sauren Apfel** und verlege meinen Urlaub.

 A: シュルツさんが病気になったの。だれか彼の代理できない？
 B: よし、いやだけど僕が休暇を延期しよう。

★in den sauren Apfel beißen（müssen）…いやなことを（やむをえず）する。直訳は「すっぱいりんごをかじる」。

208 Keine zehn Pferde bringen mich dazu.
[カイネ ツェーン プフェルデ ブリンゲン ミヒ ダツー]
▶ 絶対いやだ／てこでも動くものか。

A: Kannst du den Nörgler besuchen und um Verzeihung bitten?
B: **Keine zehn Pferde bringen mich dazu.**

 A: あのクレーマーのところにお詫びに行ってくれない？
 B: てこでも動くものか。

★Nörgler …あら捜しばかりする人、クレーマー。
★Keine zehn Pferde bringen mich dazu. …絶対そんなことはしない、てこでも動くものか。直訳は「十頭の馬も私を動かせない」。dazu の代わりに dahin とも言う。

KAPITEL 3

209 Ich zweifle nicht im Geringsten daran.
[イヒ ツヴァイフレ ニヒト イム ゲリングステン ダラン]
▶ 疑う余地は何もない。

A : Glaubst du, dass das klappt?
B : Ich zweifle nicht im Geringsten daran.

　A : うまくいくと思う？
　B : 何の疑いもないよ。

★an 3格 zweifeln …～を疑う。an と物・事をさす人称代名詞は融合して daran になる（そのこと・物を）。

★nicht im Geringsten …少しも～ない。旧正書法では小文字で geringsten と書く。

210 Das lässt sich noch nicht abschätzen.
[ダス レスト ズィヒ ノホ ニヒト アプシェッツェン]
▶ それはまだわからない。

A : Wann wird die Fusion der Firma A und der Firma B zustande kommen?
B : **Das lässt sich noch nicht abschätzen.** Die Verhandlungen sind nämlich in eine Sackgasse geraten.

　A : A社とB社の合併はいつ実現するだろうか。
　B : それはまだ見きわめがつかない。交渉は行き詰まっているから。

★zustande kommen …実現する、成立する。

★Das lässt sich noch nicht abschätzen. …直訳は「それはまだ見積られることができない」≒ Das ist noch nicht abzuschätzen. / Das kann noch nicht abgeschätzt werden. / Das kann man noch nicht abschätzen.

★in eine Sackgasse geraten …行き詰まる、進退きわまる。直訳は「袋小路に入り込む」。

KAPITEL 3　81

211 Ich habe es mir zu Herzen genommen.
[イヒ ハーベ エス ミーア ツー ヘルツェン ゲノメン]
▶ 肝に銘じた。

A : Er ist sehr sensibel und nachtragend.
B : **Ich habe es mir zu Herzen genommen.**

　　A：彼はとても傷つきやすくて根にもつんだよ。
　　B：肝に銘じておくね。

★sich³ et⁴ zu Herzen nehmen …肝に銘じる。直訳は「心に受け入れる」。

212 Sie passen wie die Faust aufs Auge.
[ズィー パッセン ヴィー ディー ファウスト アウフス アウゲ]
▶ まるっきり合わない。

A : Ich trage zur Oper einen neuen Anzug.
B : Und dazu die Turnschuhe? **Sie passen wie die Faust aufs Auge.**

　　A：オペラ座に新しいスーツを着ていくよ。
　　B：それにスニーカー履くの？ まるっきり合わないよ。

★wie die Faust aufs Auge passen …まるっきり合わない、そぐわない。直訳は「(繊細な) 目をねらった (荒々しい) ゲンコツのようにふさわしくない」。しかし皮肉にも使われて、「色彩やコンビネーションがぴったりマッチしている」という全く逆の意味ももつようになった。後者の意味の場合、Auge の代わりに Gretchen も使われる。

213 Ich bin nicht auf den Kopf gefallen.
[イヒ ビン ニヒト アウフ デン コプフ ゲファレン]
▶ 私はばかじゃない。

A : Du hast das Problem doch gelöst. Das habe ich von dir nicht erwartet.
B : Ach so? **Ich bin nicht auf den Kopf gefallen.**

　　A：問題解決できたんだね。できると思ってなかった。
　　B：そう？ 僕はばかじゃないよ。

★この doch は事態が逆転したことを表す。

★nicht auf den Kopf gefallen sein …転んで頭を打ってはいない、ばかではない。直訳は「頭の上へ落ちなかった」。

214 Sie geht mir nicht aus dem Kopf.
[ズィー ゲート ミーア ニヒト アウス デム コプフ]
▶ 頭から離れない。

A : Der Film war vielleicht gut. Besonders die Musik!
B : Ja, **sie geht mir nicht aus dem Kopf.**

 A : 映画すごくよかったね。特にあの音楽！
 B : ああ、頭から離れないよ。

★この vielleicht は心態詞でアクセントがなく、過去のできごとに関する気持ちの強め。「まったく、すごく」の意。副詞 vielleicht（ひょっとしたら）とは異なる。

★この sie はここでは女性名詞 Musik をさす。er にすれば男性名詞 Film をさすことになる。

★j³ nicht aus dem Kopf gehen（wollen）… 〜の頭から離れない。

215 Ich weiß nicht, wie ich es ausdrücken soll.
[イヒ ヴァイス ニヒト ヴィー イヒ エス アウスドゥリュッケン ゾル]
▶ うまく言えないんだけど。

A : **Ich weiß nicht, wie ich es ausdrücken soll,** aber die Party war…
B : …nett? lustig? langweilig?
A : Ja, stinklangweilig!

 A : どう言ったらいいかわからないんだけど、あのパーティーは…
 B : …すてきだった？ 楽しかった？ 退屈だった？
 A : そう、くそつまらなかった。

★Ich weiß nicht, wie ich es ausdrücken soll. …直訳は「どう表現するべきか、私はわからない」。

216 An deiner Stelle würde ich das nicht tun.
[アン ダイナー シュテレ ヴュルデ イヒ ダス ニヒト トゥーン]
▶ 私だったらやめておく。

A: Heute will ich mit meiner Frau ein Wörtchen reden.
B: **An deiner Stelle würde ich das nicht tun.** Du ziehst bestimmt den Kürzeren, da deine Frau so redegewandt ist.

　A: 今日こそ妻に言ってやるぞ。
　B: 私だったらやめとくな。奥さんはすごく口が達者だから、きっとあなたが負けるし。

★mit j³ ein Wörtchen reden …〜にひとこと言ってやる。

★„an deiner Stelle würde ich…" は「もし私があなたの立場だったら」の意。

★bestimmt …きっと = sicher, gewiss

★den Kürzeren ziehen …貧乏くじを引く、ばかをみる。直訳は「短いくじを引く」。昔はわらなどを引いて、長さで競った。

Kapitel 4

依頼・忠告 フレーズ

相手に何かお願いするときや、「〜しないで！」と
注意したり、アドバイスしたりするときに
役立つフレーズを覚えよう。

217 Sag schon!
[ザーク ショーン]
▶ いいかげんに言ってよ。

A: Na, was willst du denn? **Sag schon!**
B: Die Zeit ist zu knapp. Geh schon!

 A: ねえ、いったい何を望んでるの？ いいかげんに言えよ。
 B: もう時間がないから、さっさと出かけなさいよ。

★schon …さあ、さっさと、いいかげんに。命令文で話者のいらだちや促す気持ちを表す。

218 Komm doch mal!
[コム ドッホ マール]
▶ ちょっと来て！

A: **Komm doch mal!**
B: Was denn?

 A: ちょっと来てよ。
 B: いったい何だよ。

★doch mal …命令文で、doch は強める「ぜひ」、mal は弱める「ちょっと」のニュアンスだが、よくいっしょにも使われる。話者の気持ちを表現する心態詞で、文中でアクセントがない。

★denn …いったいぜんたい。疑問文で関心の強さやいぶかる気持ちなどを表す。文中でアクセントがない心態詞。

219 Nichts für ungut!
[ニヒツ フュア ウングート]
▶ どうかあしからず。

A: Willst du nichts mehr essen?
B: **Nichts für ungut!** Ich kann nicht mehr.

 A: もう食べたくないの？
 B: 悪く思わないで。もう食べられないんだ。

★Nichts für ungut! …どうかあしからず、悪く思わないで。直訳は「悪意については何もない」。

220 Halt den Mund!
[ハルト デン ムント]
▶ だまって！

A : Bist du mit der Aufgabe immer noch nicht fertig?
B : **Halt den Mund!**

　A：仕事はまだ終わらないの？
　B：だまっててよ！

★Aufgabe …課題。仕事や宿題など。
★immer noch …いまだに、依然として、相変わらず。noch immer と言っても同じ。
★den Mund halten …直訳は「口を閉じたままでいる」。

221 Du erreichst nichts.
[ドゥー エアライヒスト ニヒツ]
▶ むだだよ。

A : Du bist heute sehr schön.
B : **Du erreichst nichts**, wenn du mir Honig um den Mund schmierst.

　A：今日はきれいだねえ。
　B：私にお世辞言っても何も出ないわよ。

★Du erreichst nichts. …あなたは何も達成しない。
★j^3 Honig um den Mund schmieren …〜にごまをする、お世辞・おべんちゃらを言う。直訳は「〜の口のまわりに蜂蜜を塗る」。

222 Lass mich in Ruhe!
[ラス ミヒ イン ルーエ]
▶ ほっといて。

A : Du siehst ja bekümmert aus. Du kannst mir dein Herz ausschütten!
B : **Lass mich in Ruhe!** Jetzt möchte ich alleine sein.

　A：心配事があるみたいね。私に打ち明けていいんだよ。
　B：ほっといてくれ。今は一人でいたいんだ。

★bekümmert …心配そうな、気がかりな。
★j^3 sein Herz ausschütten …〜に胸中を打ち明ける。
★j^4 in Ruhe lassen …放っておく、邪魔しない。
★alleine …ひとりきりで。最後の -e はなくても同じ。

KAPITEL 4

223 Ich bitte dich darum.
[イヒ ビッテ ディヒ ダルム]
▶ お願いだよ。

A : **Ich bitte dich darum.** Zum letzten Mal!
B : Vergiss es! Du kannst mich nicht um den kleinen Finger wickeln.

 A : お願いだよ。これで最後だから！
 B : そんなこと言ってもむだ。私は丸めこまれないからね。

★j⁴ um et⁴ bitten … ～に～を頼む。darum は「それを」。

★Vergiss es! …直訳は「それを忘れろ」。

★j⁴ um den (kleinen) Finger wickeln (können) … ～を丸めこむ、言いなりにさせる。直訳は「(小) 指の回りに巻きつける」。

224 Wasch ihr den Kopf!
[ヴァシュ イーア デン コプフ]
▶ 厳しく注意しなよ！

A : Sie hält schon wieder unbekümmert den Termin nicht ein.
B : **Wasch ihr den Kopf!**

 A : 彼女またもや期限を守らないで、涼しい顔をしているの。
 B : しぼってやれよ。

★schon wieder …またしても、またまた。

★unbekümmert …平然と、無頓着に。

★den Termin einhalten …期日を守る。

★j³ den Kopf waschen … ～にきつく意見する。直訳は「～の頭を洗う」。

225 Lass sie außer Acht.
[ラス ズィー アウサー アハト]
▶ ほっときなよ。

A : Meine Tante mischt sich in die Einrichtung meiner Wohnung ein und beobachtet, mit wem ich ausgehe.
B : **Lass sie außer Acht.** Sie steckt ihre Nase in alles.

　　A : おばさんは私の住まいのインテリアに干渉するし、私がだれとデートするか観察してるの。
　　B : 放っておけよ。彼女は何にでも首をつっこむんだ。

★außer Acht lassen …無視する。旧正書法では小文字で außer acht lassen と書く。
★seine Nase in alles stecken …何にでも首をつっこむ、口出しする。直訳は「何にでも鼻をつっこむ」。seine Nase in jeden Dreck stecken（あらゆるゴミに鼻をつっこむ）とも言うが、下品なニュアンス。

226 Gib ihm einen Denkzettel!
[ギープ イーン アイネン デンクツェッテル]
▶ 厳しく注意しなさい。

A : Mein Sohn hat schon wieder geraucht.
B : **Gib ihm einen Denkzettel.** Du bist mit ihm zu nachsichtig.

　　A : 息子がまたタバコを吸ってたの。
　　B : お灸をすえなよ。彼に甘すぎるよ。

★j³ einen Denkzettel geben …直訳は「忘れられないメモを与える」。昔学校で、悪いことをした生徒に罪状を書いた紙を身につけさせることがあった。
★mit j³ nachsichtig sein … 〜に寛大だ。

227 Du musst daran glauben.
[ドゥー ムスト ダラン グラウベン]
▶ しかたがないとあきらめなくちゃ。

A: Hoffentlich bekomme ich nicht die komplizierte Aufgabe.
B: Denkste! **Du musst daran glauben.**

> A: あのやっかいな仕事が僕にまわってこないといいんだけど。
> B: それは見込み違い。しかたがないとあきらめなくちゃ。

★daran glauben müssen …もうだめだと思う、運命だと思ってあきらめる。直訳は「その存在を信じなくてはならない」。

228 Sei mir nicht böse!
[ザイ ミーア ニヒト ベーゼ]
▶ 怒らないで！

A: **Sei mir nicht böse,** bitte!
B: Was hast du denn angestellt?

> A: どうか怒らないで。
> B: いったい何をしでかしたの？

★j³ böse sein … 〜に腹を立てる。だれに腹を立てているのか強調したいときは böse auf j⁴ sein とする。

★anstellen … (悪いことを) する、しでかす。

229 Halte mich nicht zum besten!
[ハルテ ミヒ ニヒト ツム ベステン]
▶ からかわないでよ！

A: Johann ist dein Chef geworden.
B: Unmöglich. **Halte mich nicht zum besten!**

> A: ヨハンがあなたの上司になったよ。
> B: ありえない。僕をからかうなよ。

★j⁴ zum besten halten … 〜をからかう、ばかにする。直訳は「〜を最高に買っている (ようなふりをする)」。halten の代わりに haben と言っても同じ。≒ sich⁴ über j⁴ lustig machen (からかう；⇒ 232)、j⁴ zum Narren halten (愚弄する)。

90 KAPITEL 4

230 Kannst du mir bitte helfen?
[カンスト ドゥー ミーア ビッテ ヘルフェン]
▶ 手伝ってくれる？

A: Kannst du mir bitte helfen?
B: Ja, was denn?
A: Ich möchte Sukiyaki kochen, weiß aber nicht, wie.

> A：手伝ってもらえる？
> B：うん、何？
> A：すき焼きを作りたいんだけど、どうやったらいいかわからないんだ。

231 Lass mich bitte nicht im Stich!
[ラス ミヒ ビッテ ニヒト イム シュティヒ]
▶ 見捨てないで！

A: Du hast mich allein gelassen, als ich deine Hilfe brauchte.
B: **Lass mich bitte** deswegen **nicht im Stich!**

> A：私があなたの助けを必要としてたとき、私を一人にしたでしょ。
> B：だからと言って、僕を見捨てないでくれ。

★j^4 im Stich lassen … ～を見捨てる、見殺しにする。直訳は「～を刺されたままにする」。

232 Mach dich über mich nicht lustig!
[マハ ディヒ ユーバー ミヒ ニヒト ルスティヒ]
▶ からかわないでよ！

A: Mit deiner Erfindung bekommst du vielleicht den Nobelpreis.
B: **Mach dich über mich nicht lustig!**

> A：あなたの発明はひょっとしたらノーベル賞ものかも。
> B：からかうなよ！

★sich^4 über j^4 lustig machen … ～をからかう ≒ j^4 zum besten halten (⇒ 229)。

KAPITEL 4

233 Kannst du mir einen Gefallen tun?

[カンスト　ドゥー　ミーア　アイネン　ゲファレン　トゥーン]

▶ **お願いがあるんだけど。**

A : Kannst du mir einen Gefallen tun?
B : Ja, gern. Was denn?
A : Ich möchte nämlich den Schrank dorthin schieben.

> A : お願いがあるんだけど。
> B : うん、いいよ。いったい何？
> A : というのは、タンスをあっちに動かしたいの。

★Kannst du mir einen Gefallen tun? …直訳は「あなたは私に親切なことをすることができるか？」。

★nämlich は「つまり」の意。文頭には置けない。

234 Man soll fünf gerade sein lassen.

[マン　ゾル　フュンフ　ゲラーデ　ザイン　ラッセン]

▶ **細かいことには目をつぶらないとね。**

A : Mit meinem Haushalt werde ich nie fertig. Eine perfekte Hausfrau kann ich mir nicht vorstellen.
B : Du hast recht. **Man soll ab und zu fünf gerade sein lassen.**

> A : 家事はいくらやってもきりがなくて。完璧な主婦なんてありえない。
> B : そうだよね。たまには細かいことに目をつぶらなくちゃ。

★Du hast recht. …君の言うとおりだ ≒ genau! (⇒ 4)、Das stimmt. (⇒ 32)、Das ist richtig. (それは正しい)。

★fünf gerade sein lassen …細かいことにこだわらず、大目に見る。直訳は「5 を偶数ということにする」。なお、「奇数」は ungerade Zahl.

★ab und zu たまに ≒ manchmal (ときたま)。

235 Das muss man in Kauf nehmen.
[ダス ムス マン イン カウフ ネーメン]
▶ それは目をつぶらなくちゃ。

A : Kommst du auch zur Party von Müllers? Das Essen ist bei ihnen immer köstlich.
B : Aber die Reden von Herrn Müller sind unerträglich lang.
A : Ach, **das muss man in Kauf nehmen.**

> A : 君もミュラーさんちのパーティに行く？ あのうちの料理はいつもおいしいよね。
> B : でもミュラーさんの挨拶は、がまんできないぐらい長いよ。
> A : ああ、それは目をつぶらないとね。

★Müllers …ミュラー家の人々〈複数形〉。「ミュラー家」は Familie Müller または die Müller〈単数形〉とも言う。
★et^4 in Kauf nehmen … ～を (別の利点のために) がまんする。直訳は「買う、背負いこむ」。

236 Das solltest du dir gut überlegen.
[ダス ゾルテスト ドゥー ディーア グート ユーバーレーゲン]
▶ じっくり考えたほうがいい。

A : Ich möchte mit Rita Schluss machen. Ihr Essen ist ja ungenießbar.
B : **Das solltest du dir** aber **gut überlegen,** sonst würdest du dir ins eigene Fleisch schneiden.

> A : リタと別れたいな。彼女の料理は食べられたもんじゃないんだ。
> B : じっくり考えたほうがいいよ。さもないと自分で自分の首をしめるから。

★mit j^3 Schluss machen … ～と手を切る。
★$sich^3$ et^4 überlegen … ～を熟考する。
★$sich^3$ ins eigene Fleisch schneiden …自分で自分の首をしめる、みすみす損をするようなことをする。直訳は「自分自身の肉を切る」。

KAPITEL 4

237 Schlafende Hunde soll man nicht wecken.
[シュラーフェンデ フンデ ゾル マン ニヒト ヴェッケン]
▶ 寝た子を起こすな。

A : Hat der Lehrer die Hausaufgaben vergessen?
B : Pst! **Schlafende Hunde soll man nicht wecken.**

　A：先生は宿題出したの忘れちゃったのかな？
　B：シーッ！ 寝た子を起こすな。

★Schlafende Hunde soll man nicht wecken. …直訳は「眠っている犬は起こすな」。

238 Kehre erst vor deiner eigenen Tür.
[ケーレ エルスト フォーア ダイナー アイゲネン テューア]
▶ まずは自分の心配をしなよ。

A : Na, konntest du abnehmen?
B : **Kehre erst vor deiner eigenen Tür.** Du bist auch nicht gerade schlank.

　A：どう、やせられた？
　B：まず自分の頭のハエを追えよ。君だってほっそりしているとは言えないよ。

★Kehre (erst) vor deiner eigenen Tür. …直訳は「(まず) 自分の玄関の前を掃け」。

239 Da verbrennst du dir die Finger.
[ダー フェアブレンスト ドゥー ディーア ディー フィンガー]
▶ 痛い目にあうよ。

A : Ich möchte mich als Kandidat in den kommenden Wahlen aufstellen lassen.
B : Lass das. Du bist nicht der richtige Typ dafür. **Da verbrennst du dir die Finger.**

　A：次の選挙に立候補したい。
　B：やめておきなって。そんなタイプじゃないんだから。痛い目にあうよ。

★sich^3 die Finger verbrennen …痛い目にあう、こりる。直訳は「指をやけどする」。Finger の代わりに Pfoten でも同じ。Pfote は本来動物の足をさすが、このフレーズは人間に使う。

240 Male den Teufel nicht an die Wand!
[マーレ デン トイフェル ニヒト アン ディー ヴァント]
▶ 縁起でもないこと言わないで。

A: Falls deine Firma in Konkurs gehen sollte, kannst du bei uns arbeiten.
B: Male den Teufel nicht an die Wand!

> A: もしおたくの会社がつぶれたら、うちで働けばいい。
> B: 縁起でもないこと言うな。

★falls …万が一。wenn（もしも）よりも可能性が低い。sollte も接続法第2式で可能性の低さを表している。

★in Konkurs gehen …倒産する。gehen の代わりに geraten も使える。Konkurs machen とも言う。

★Mal(e) den Teufel nicht an die Wand. …直訳は「壁に悪魔を描くな」。

241 Ich muss mit dir ein Wörtchen reden.
[イヒ ムス ミット ディーア アイン ヴェルトヒェン レーデン]
▶ ひとこと言わなきゃならないことがある。

A: Ich muss mit dir ein Wörtchen reden.
B: Muss das jetzt sein?

> A: 君にひとこと言いたいことがある。
> B: 今じゃなくちゃだめ？

★mit j³ ein Wörtchen reden … 〜にひとこと・小言を言う。

KAPITEL 4

242 Das solltest du dir aus dem Kopf schlagen.
[ダス ゾルテスト ドゥー ディーア アウス デム コプフ シュラーゲン]
▶ やめときなよ。

A : Ich möchte nächste Woche Urlaub nehmen.
B : Was? Schon wieder? **Das solltest du dir aus dem Kopf schlagen,** sonst verlierst du die Stelle.

   A：来週休暇をもらいたいな。
   B：何？ また休暇？ やめておきなよ、さもないとクビになるよ。

★sich³ et⁴ aus dem Kopf schlagen … ～を断念する、念頭から追い払う。
★die Stelle verlieren … ポストを失う。

243 Du sollst nicht alle in einen Topf werfen.
[ドゥー ゾルスト ニヒト アレ イン アイネン トプフ ヴェルフェン]
▶ みんないっしょくたにしちゃだめだよ。

A : Der Japaner war zuverlässig. Alle Japaner sind ehrlich.
B : **Du sollst nicht alle in einen Topf werfen.**

   A：あの日本人は信頼できた。日本人はみんな正直者だ。
   B：みんないっしょくたにしちゃだめよ。

★alle(s) in einen Topf werfen … みそもくそもいっしょにする、いっしょくたに扱う。直訳は「皆（すべて）を1つの鍋に投げ入れる」。人の場合は複数4格alleを、物・事の場合は中性4格allesを使う。

244 Bekomm meine Worte nicht in die falsche Kehle.

[ベコム マイネ ヴォルテ ニヒト イン ディー ファルシェ ケーレ]

▶ 誤解しないで。

A : Du schimpfst schon wieder mit mir.
B : **Bekomm meine Worte nicht in die falsche Kehle.** Ich meine es gut mit dir.

 A : また僕のことののしってる。
 B : 誤解しないで。あなたのためを思って言ってるんだから。

★et⁴ in die falsche Kehle bekommen … (誤解して) 悪くとる。直訳は「間違ったのど (=気管) に入れる」。bekommen の代わりに kriegen とも言える。また、似た表現に j³ das Wort im Munde umdrehen (〜のことばを口の中でねじ曲げる; ⇒ 175) というのもある。

★es gut mit j³ meinen … 〜に対して好意的だ。

245 Du solltest es ihm klipp und klar sagen.

[ドゥー ゾルテスト エス イーム クリップ ウント クラー ザーゲン]

▶ 彼にはっきり言ったほうがいいと思うな。

A : Wir verstehen den neuen Lehrer nicht und sein Unterricht ist uns so langweilig.
B : Dann **solltest du es ihm klipp und klar sagen.**

 A : 私たち新しい先生の言うことがわからなくて、授業がすごく退屈なの。
 B : だったら、先生にはっきりそう言ったほうがいいんじゃない？

★Es ist mir langweilig. = Ich bin gelangweilt. = Ich langweile mich. (私は退屈だ) と Ich bin langweilig. (私は人を退屈させる人間だ) は間違えやすいので注意。

★du solltest は接続法第 2 式で、直説法 du sollst (〜するべきだ) より婉曲・丁寧になる。「〜したほうがいいんじゃないか、〜したらどうか」の意。

★klipp und klar …はっきりと、誤解の余地なく、単刀直入に。

246 Man soll nicht aus einer Mücke einen Elefanten machen.

[マン ゾル ニヒト アウス アイナー ミュッケ アイネン エレファンテン マヘェン]

▶ 誇張すべきじゃない。

A: Dieter ist schon wieder zu spät gekommen. So eine Unverschämtheit!
B: Reg dich nicht über eine solche Kleinigkeit auf. **Man soll** eben **nicht aus einer Mücke einen Elefanten machen.**

　A: ディーターはまた遅刻してきた。許せない！
　B: そんなささいなことで怒らないで。誇張するものではないよ。

★Unverschämtheit …恥知らずな行い ≒ Frechheit（生意気さ）。

★sich⁴ über 4格 aufregen …～に興奮する、イライラする。

★eben …動かしがたい現実について、話し手のあきらめの気持ちの表れ。

★aus einer Mücke einen Elefanten machen …誇張する、大げさに言う。直訳は「蚊を象にする」。Elefant は男性弱変化名詞。

247 Wer sich nicht behauptet, muss in den Mond gucken.

[ヴェア ズィヒ ニヒト ベハウプテット ムス イン デン モーント クッケン]

▶ 自己主張しない人は、損をする。

A: Das Flugzeug fiel aus und ich musste auf dem Flughafen übernachten.
B: Ich habe ein Hotelzimmer bekommen. **Wer sich nicht behauptet, muss in den Mond gucken.**

　A: 飛行機が欠航になって、空港に1泊しなきゃならなかったの。
　B: 僕はホテルの部屋をゲットしたよ。自己主張しない人は、バカを見るんだ。

★ausfallen …運休になる、中止になる。

★sich⁴ behaupten …自分の権利や意見を主張する。

★in den Mond gucken …おこぼれにもあずかれない、指をくわえて見ている。直訳は「月を見ている」。昔の迷信に「しょっちゅう月を見るとバカになる」というのがあった。

248 Es ist besser, dass du ihnen reinen Wein einschenkst.

CHECK✓

[エス イスト ベッサー ダス ドゥー イーネン ライネン ヴァイン アインシェンクスト]

▶ 彼らに本当のことを言ったほうがいい。

A : Hast du deiner Familie schon gesagt, dass du nach China versetzt wirst?
B : Nein, noch nicht.
A : Sie müssen sich auch darauf vorbereiten, deshalb **ist es besser, dass du ihnen** gleich **reinen Wein einschenkst.**

　　A : 中国に転勤になったって、ご家族にはもう言ったの？
　　B : いや、まだだ。
　　A : 彼らだって準備しなくちゃならないんだから、早く本当のことを言ったほうがいいのに。

★sich⁴ auf et⁴ vorbereiten … 〜の用意・覚悟・心構えをする。
★deshalb（発音は［デスハルプ］）…だから〈副詞〉≒ darum, deswegen, daher
★j³ reinen Wein einschenken … （相手にとって不愉快な）本当のことを言う。直訳は「純粋なワインを注ぐ」。reinen の代わりに klaren とも言う。

249 So etwas sollst du nicht an die große Glocke hängen.

CHECK✓

[ゾー エトヴァス ゾルスト ドゥー ニヒト アン ディー グローセ グロッケ ヘンゲン]

▶ 言いふらしちゃだめだよ。

A : Sein Sohn müsse in die Jugendstrafanstalt.
B : **So etwas sollst du nicht an die große Glocke hängen.**

　　A : あの人の息子さん、少年院に入れられるんだって。
　　B : そんなことぺらぺら言いふらしちゃだめだよ。

★et⁴ an die große Glocke hängen …あちこちで言いふらす。直訳は「大きな鐘にぶらさげる」。昔重要なことは教会の大きな鐘を鳴らして知らせたことから。

KAPITEL 4

250 Tu nicht so, als ob du nicht bis drei zählen könntest.

[トゥー ニヒト ゾー アルツ オプ ドゥー ニヒト ビス ドライ ツェーレン ケンテスト]

▶ バカなふりをするな。

A : Ich kann es nicht.
B : **Tu nicht so, als ob du nicht bis drei zählen könntest.** Du hast nur keine Lust.

  A : 僕にはできないよ。
  B : できないふりをしないで。やる気がないだけなんだから。

★tun, als ob j¹ nicht bis drei zählen könnte …バカなふりをする、できないふりをする。直訳は「3つまで数えられないふりをする」。könnte は接続法第2式の非現実話法。tun の代わりに aussehen を使うと、「バカみたいに見える、できないかのように見える」の意になる。

Kapitel 5

励まし・慰め フレーズ

「元気出して！」「何とかなるよ」「がんばって」など、
前向きな気分になれる表現を覚えよう。
落ち込んでいる人を励ますときに使えば効果抜群！

251 Kopf hoch!
[コプフ ホーホ]
▶ 元気出して！

A: Ach, schon wieder ist es mir misslungen.
B: **Kopf hoch!**

A：あーあ、また失敗しちゃった。
B：元気出して！

★misslingen …うまくいかない、失敗する。旧正書法では mißlingen と書く。
★Kopf hoch! …元気を出せ！ 気を落とすな！ 字義どおりには「頭をあげろ」。

252 Keine Angst!
[カイネ アングスト]
▶ 怖がらないで！

A: In der Stadt kenne ich mich gar nicht aus.
B: **Keine Angst!** Zur Not kannst du mich anrufen.

A：この町では勝手が全然わからない。
B：怖がらないで！ いざとなったら僕に電話すればいい。

★sich⁴ in et³ auskennen … ～に精通している。
★zur Not …いざとなれば、必要とあれば。
★j⁴ anrufen … ～に電話する。

253 Keine Sorge.
[カイネ ゾルゲ]
▶ 心配しないで。

A: Sie kennt sich hier vielleicht nicht aus.
B: **Keine Sorge.** Sie hat mal einige Jahre hier gewohnt.

A：彼女ひょっとしたら土地勘がなくて困るんじゃないかな。
B：心配無用。彼女は何年かここに住んでたことがあるんだ。

★sich⁴ auskennen …勝手がわかる、土地勘がある。
★Keine Sorge. …不安がるな ≒ Keine Angst. (怖がるな)。Angst のほうが、恐れの対象がはっきりしていて、Sorge は漠然としていることが多い。

254 Gute Besserung!
[グーテ ベッセルング]
▶ **お大事に。**

A: Bist du schon wieder auf den Beinen? Die Grippe soll man nicht auf die leichte Schulter nehmen. **Gute Besserung!**
B: Aber ich habe kein Fieber mehr und fühle mich wohl.

　A: もう床上げしたの？ インフルエンザは軽んじちゃだめだよ。お大事にね。
　B: でももう熱なくて、気分いいんだもん。

★auf den Beinen sein …起きている、活動している。直訳は「足の上にいる」。

★man は本来不特定の人（びと）をさすが、「私（たち）」や「あなた（たち）」の代わりとしても使われる。

★et⁴ auf die leichte Schulter nehmen … 〜を軽んじる、気軽に考える。直訳は「〜を軽い肩に乗せる」。Schulter の代わりに Achsel（肩・わき）とも言う。

★Gute Besserung. …直訳は「よい回復を」。

255 Toi toi toi!
[トイ トイ トイ]
▶ **うまくいきますように！**

A: In einer Stunde geht es los. Ich habe schon Lampenfieber bekommen.
B: **Toi toi toi!**

　A: 1時間後に始まる。私もうあがっちゃって。
　B: うまくいくよう祈ってるよ。

★Lampenfieber bekommen …あがる。直訳は「舞台照明の熱が出る」。

★Toi toi toi. …もともとは魔よけのおまじないで「くわばらくわばら」。今日ではもっぱら「うまくいきますように」という意味で使い、言いながら木片を3回たたくこともある。

KAPITEL 5

256 Wird schon werden.
[ヴィルト ショーン ヴェルデン]
▶ 何とかなるよ。

A : In der nächsten Woche habe ich drei Präsentationen und zwei Prüfungen.
B : **Wird schon werden.**

　　A：来週プレゼン3つと試験が2つあるんだ。
　　B：何とかなるよ。

★Wird schon werden. は Es wird schon (wieder) werden. の省略。直訳は「それは再びなるだろう」。

257 Jeder zahlt Lehrgeld.
[イェーダー ツァールト レーアゲルト]
▶ みんな失敗して学ぶ。

A : Das Kind kann noch nicht Rad fahren. Es kippt immer wieder um.
B : **Jeder zahlt Lehrgeld.**

　　A：あの子まだ自転車に乗れないんだ。何度も転倒してる。
　　B：だれでも失敗して学ぶんだよ。

★Kind は中性名詞なので、受ける人称代名詞は es になる。

★Lehrgeld zahlen (müssen) …失敗して学ぶ (ものだ)。直訳は「授業料を払う」。

258 Behalte den Kopf oben!
[ベハルテ デン コプフ オーベン]
▶ くじけるな！

A : Ich soll das Referat überarbeiten.
B : **Behalte den Kopf oben!**

　　A：私のレポート書き直しだって。
　　B：くじけるな！

★überarbeiten …さらに手を加える、改訂する。

★den Kopf oben behalten …気を落とさない、毅然としている。文字どおりの意味は「頭をあげたままにする」。

259 Du darfst nicht lockerlassen.

[ドゥー ダルフスト ニヒト ロッカーラッセン]

▶ **あきらめるな。**

A : Meine ganze Familie ist dagegen, den ausgesetzten Hund zu behalten.
B : **Du darfst nicht lockerlassen.**

　A：家族中があの捨て犬を飼うのに反対なの。
　B：あきらめちゃだめだ。

★nicht lockerlassen …譲歩しない、あきらめない。直訳は「ゆるめない」。

260 Fass dir ein Herz!

[ファス ディーア アイン ヘルツ]

▶ **勇気を出して！**

A : Ich traue mich nicht, sie anzusprechen.
B : **Fass dir ein Herz!** Ich glaube, sie hat auch ein Auge auf dich.

　A：彼女に話しかける勇気がない。
　B：勇気を出して！ 彼女もあなたに気があると思うよ。

★Ich traue mich …思い切ってする。口語では再帰代名詞の3格も使う（Ich traue mir）。

★sich³ ein Herz fassen …勇気を奮い起こす、思い切ってする ≒ Mut fassen（勇気を出す）。

★ein Auge auf j⁴ haben … 〜から目を離さないでいる。

261 Halte die Ohren steif!

[ハルテ ディー オーレン シュタイフ]

▶ **がんばれ！**

A : Das schwierige Staatsexamen steht vor der Tür.
B : Ich wünsche dir viel Erfolg und **halte die Ohren steif!**

　A：難しい国家試験が間近にせまった。
　B：成功を祈ってるから、がんばって！

★vor der Tür stehen …もうすぐ〜だ。直訳は「戸口の前にある」。

★die Ohren steifhalten …へこたれない、がんばりとおす。直訳は「耳をピンと立てている」。犬や馬をイメージして、注意深く元気で負けないさま。

262 Kommt Zeit, kommt Rat.
[コムト ツァイト コムト ラート]
▶ 時が経てば知恵も浮かぶ。

A : Im Büro haben wir so viel Arbeit und wir wissen nicht mehr ein und aus.
B : **Kommt Zeit, kommt Rat.**

　A：会社で仕事が山積みで、にっちもさっちもいかない。
　B：時が何とかしてくれるよ。

★nicht mehr ein und aus wissen …にっちもさっちもいかない。直訳は「入ることも出ることもできない」≒ weder ein und aus wissen

★„Wenn Zeit kommt, kommt Rat." の wenn が省略されると、動詞は後置でなく倒置され、„Kommt Zeit, kommt Rat." となる。直訳は「時が来れば、方策が来る」。

263 Ist dir was passiert?
[イスト ディーア ヴァス パスィールト]
▶ 何かあったの？

A : Wieso stehst du da wie ein begossener Pudel? **Ist dir was passiert**?
B : Auf der Hauptstraße hat mich die Polizei erwischt. Ich soll um 15 km pro Stunde zu schnell gefahren sein.

　A：どうしてそんなにしょんぼりしてるの？ 何かあったの？
　B：中央通りで警察に捕まったんだ。15キロのスピード違反だって。

★wie ein begossener Pudel dastehen …しょんぼりする。直訳は「ずぶぬれのプードルのように立ちつくす」。

★hat mich die Polizei erwischt …私を警察が捕まえた。人称代名詞 mich のほうが名詞 die Polizei より重要性が低く、軽くて短いので、特に会話では先に置かれることが多い。ドイツ語では動詞・助動詞の位置は厳密に決まっているが、主語や目的語の位置は決まっていない。軽い品詞（再帰代名詞と人称代名詞）やわかりきっている情報は定動詞の直後に、重要で強調したいことは耳に残るように文の後方に置かれる傾向にある。

264 Warum bläst du Trübsal?
[ヴァルム ブレースト ドゥー トリューブザール]
▶ なんでふさぎこんでるの？

A: **Warum bläst du Trübsal?**
B: Meine Schwiegereltern kommen übers Wochenende zu uns.

 A：何浮かない顔してるの？
 B：舅と姑が週末うちに泊まりに来るの。

★Trübsal blasen …ふさぎこんでいる。直訳は「暗い気分を吹き鳴らす」。

★übers Wochenende …週末に。土曜から日曜日にかけて、場合によっては金曜も入る。am Wochenende も「週末に」だが、そのうち1日だけ、数時間だけかもしれない。

265 Wo drückt dich der Schuh?
[ヴォー ドゥリュックト ディヒ デア シュー]
▶ 悩みの原因は何？

A: Ich möchte nicht mehr ins Büro.
B: **Wo drückt dich der Schuh?**

 A：もう会社に行きたくない。
 B：悩みの原因は何？

★wo drückt j⁴ der Schuh? … ～の悩みの原因は何か？ 直訳は「靴のどこがきついのか?」。

266 Da ist nichts zu machen.
[ダー イスト ニヒツ ツー マヘン]
▶ それはどうしようもないね。

A: Das wertvolle Porzellan ist mir aus der Hand gefallen und zerbrochen.
B: **Da ist nichts zu machen.**

 A：高価な陶磁器を落として割っちゃった。
 B：それはどうしようもないね。

★j³ aus der Hand fallen … ～の手から滑って落ちる。体の部分なので aus meiner Hand とは言わない。

★Nichts ist zu machen. …直訳は「何もなされ得ない」。

KAPITEL 5

267 Das liegt nicht an dir.
[ダス リークト ニヒト アン ディーア]
▶ 君のせいじゃないよ。

A : Es tut mir leid, dass der Computer nicht in Ordnung ist.
B : **Das liegt nicht an dir.**

　A：コンピューターの調子が悪くてごめん。
　B：あなたのせいじゃないよ。

★an 3格 liegen … 〜のせいだ。

268 Ich drücke dir den Daumen.
[イヒ ドゥリュッケ ディーア デン ダウメン]
▶ 成功を祈ってるよ／がんばって。

A : Übermorgen haben wir eine Vorstellung.
B : **Ich drücke dir den Daumen.**

　A：あさって発表会なんだ。
　B：成功を祈ってるよ。

★Ich drücke dir den Daumen. …直訳は「あなたのために親指をにぎる」。言いながら、実際に自分の親指を包んでグーのしぐさをして見せる。複数形（両手）で die Daumen とも言う。

269 Durch Fehler wird man klug.
[ドゥルヒ フェーラー ヴィルト マン クルーク]
▶ 失敗は成功の元。

A : Ich habe einen Kuchen gebacken. Weil ich aber mit dem Zucker sparte, ist der Kuchen steinhart geworden.
B : **Durch Fehler wird man klug.**

　A：ケーキを焼いたんだけど、お砂糖少なくしたら、石のようにかたいケーキになっちゃった。
　B：失敗は成功の元。

★Durch Fehler wird man klug. …直訳は「失敗で人は賢くなる」。

270 Fass die Gelegenheit beim Schopf!

[ファス ディー ゲレーゲンハイト バイム ショプフ]

▶ チャンスを逃さないで！

A : Morgen kommt der Abteilungsleiter.
B : **Fass die Gelegenheit beim Schopf** und erzähle ihm von deinem Wunsch!

　A：明日部長が来るんだ。
　B：チャンスを逃さないで、あなたの希望を話すといい。

★die Gelegenheit beim Schopf fassen …直訳は「チャンスの髪の毛をつかむ」。Schopf は頭のてっぺんの毛。fassen の代わりに packen を使っても同じ。

271 Warum machst du ein langes Gesicht?

[ヴァルム マハスト ドゥー アイン ランゲス ゲズィヒト]

▶ どうしてがっかりした顔をしてるの？

A : **Warum machst du ein langes Gesicht?**
B : Obwohl ich mir zum Geburtstag ein Auto gewünscht hatte, habe ich ein Fahrrad bekommen.

　A：どうしてがっかりした顔をしてるの？
　B：誕生日に車がほしかったんだけど、もらったのは自転車なんだ。

★ein langes Gesicht machen …がっかりした顔をする、口をとがらす。直訳は「長い顔をする」。

272 Du kannst mir dein Herz ausschütten.

[ドゥー カンスト ミーア ダイン ヘルツ アウスシュッテン]

▶ 胸のうちを打ち明けてよ。

A : Mir ist schwarz vor den Augen.
B : Das hört sich nicht gut an. **Du kannst mir dein Herz ausschütten.**

　A：目の前が真っ暗だ。
　B：ただごとじゃないね。私に胸のうちを打ち明けてよ。

★Mir ist schwarz vor den Augen. …非人称主語 es が省略されている。
★sich⁴ gut anhören …聞こえがいい ⇔ sich⁴ schlecht anhören（聞こえが悪い）。
★j³ sein Herz ausschütten …〜に胸中を打ち明ける。直訳は「ハートをぶちあけて空にする」。

273 Du kannst deinem Herzen Luft machen.
[ドゥー カンスト ダイネム ヘルツェン ルフト マヘェン]
▶ うっぷんを晴らせるよ。

A: Mein Chef hat mir wieder zu viele Aufgaben gegeben.
B: Sprich mit ihm ein Wörtchen. Dann **kannst du deinem Herzen Luft machen.**

　A：課長がまた僕に仕事をたくさん押しつけたんだ。
　B：ひとこと言ってやりなよ。そうすればうっぷんが晴れるから。

★mit j³ ein Wörtchen reden … 〜にひとこと言ってやる。

★seinem Herzen Luft machen …うっぷんを晴らす、思いをぶちまける。直訳は「心に空気を入れる」。

★Herz〈中性〉の変化は不規則。単数1格 Herz, 2格 Herzens, 3格 Herzen, 4格 Herz のように変化する。

274 Sag es mir nicht durch die Blume.
[ザーク エス ミーア ニヒト ドゥルヒ ディー ブルーメ]
▶ 遠まわしに言わないで。

A: Deine Vorschläge passen mir nicht gerade gut.
B: **Sag es mir nicht durch die Blume.** Drück dich ruhig deutlich aus.

　A：君の提案はどれも僕にはしっくり来ないな。
　B：遠まわしに言わないで、安心してはっきり言ってよ。

★j³ et⁴ durch die Blume sagen … 〜に〜を遠まわしに言う、えんきょくに言う。直訳は「花を通して言う」。ラテン語の「花」(flosculos) には「レトリック」の意味もあるため。⇔ j³ et⁴ ins Gesicht sagen (面と向かってストレートに言う)。

275 Du solltest nicht die Flügel hängen lassen.
[ドゥー ゾルテスト ニヒト ディー フリューゲル ヘンゲン ラッセン]
▶ しょんぼりしないで。

A : Anna hat mich verlassen.
B : Wegen einer Frau **solltest du nicht** ewig **die Flügel hängen lassen**.

　A : アンナに捨てられた。
　B : 女性の一人や二人でいつまでもしょんぼりしないでよ。

★wegen einer Frau …一人の女性のせいで。
★die Flügel hängen lassen …しょんぼりする、しっぽを巻く。直訳は「翼をたらす」。

276 Nimm doch kein Blatt vor den Mund!
[ニム ドッホ カイン ブラット フォア デン ムント]
▶ 歯にきぬ着せないで。

A : Was ich dir auch immer sage, du hörst mir nicht zu, nicht wahr?
B : **Nimm doch kein Blatt vor den Mund** und sag schon!

　A : 私がたとえ何を言っても、どうせ聞いてくれないでしょ。
　B : 歯にきぬ着せないで、はっきり言えよ。

★was + auch …たとえ〜であっても〈認容〉。認容の場合、副文のあとの主文の定動詞が倒置されないこともある。
★kein Blatt vor den Mund nehmen …直訳は「口を紙で隠さない」。昔、劇出演者は顔を紙で隠して言いたいことが言えて、罰を受けなかった。

277 Ich weiß ein Lied davon zu singen.
[イヒ ヴァイス アイン リート ダフォン ツゥー ズィンゲン]
▶ 私にも同じ経験がある。

A : Ich habe mit Mühe drei Kilo abgenommen und bald wieder fünf Kilo zugenommen.
B : **Ich weiß ein Lied davon zu singen.** Das nennt man Jojo-Effekt.

　A : 苦労して３キロやせて、じきにまた５キロ太ったよ。
　B : 知ってる、私もさんざん経験したから。ヨーヨー現象（リバウンド）って言うんだ。

★abnehmen …やせる ⇔ zunehmen（太る）。
★ein Lied davon zu singen wissen …直訳は「そのことの歌を歌える」。つまり「私にもそれと同じにがい経験があるのでよくわかる」ということ。

KAPITEL 5　111

278 Du solltest dir nicht alles gefallen lassen.

[ドゥー ゾルテスト ディーア ニヒト アレス ゲファレン ラッセン]

▶ 何でもかんでも我慢しないほうがいい。

A: Er gibt mir eine unmögliche Aufgabe nach der anderen.
B: **Du solltest dir nicht alles gefallen lassen.** Zeig ihm mal die Zähne!

> A: 彼は私に次から次に不可能な仕事をよこすの。
> B: 何でもかんでも我慢しないで、時にははむかえよ。

★eine 女性名詞 nach der anderen …次から次に。男性名詞・中性名詞の場合は nach dem anderen となる。

★sich³ et⁴ gefallen lassen … ～を文句を言わずに受け入れる、(不愉快なこと)を我慢する。

★j³ die Zähne zeigen … ～にはむかう、牙をむく。直訳は「歯を見せる」。

279 Lass dir darüber keine grauen Haare wachsen!

[ラス ディーア ダリューバー カイネ グラウエン ハーレ ヴァクセン]

▶ くよくよしないで。

A: Heute konnte ich kein einziges Stück verkaufen.
B: **Lass dir darüber keine grauen Haare wachsen!** Bei Regen kommen nur wenige Kunden.

> A: 今日は1個も売れなかったよ。
> B: くよくよしないで。雨の日は客足が減るんだから。

★sich³ keine grauen Haare über et⁴ wachsen lassen … ～についてくよくよしない、気にかけない。直訳は「白髪を生えさせない」。

★Kunde …店の顧客〈男性弱変化名詞〉。レストランや個人の客は Gast で、訪問客の総称は Besuch という。

280 Du bist mit einem blauen Auge davongekommen.

[ドゥー ビスト ミット アイネム ブラウエン アウゲ ダフォンゲコメン]

▶ **どうにか難を逃れたね。**

A : Ich habe heute verschlafen. Aber weil der Zug außer Betrieb war, konnte niemand rechtzeitig im Büro sein.

B : **Du bist** also **mit einem blauen Auge davongekommen.**

 A : 今日寝坊しちゃって。でも電車が止まってたから、みんな遅刻してた。
 B : じゃあ、どうにか難を逃れたね。

★außer Betrieb sein …故障する、運休する。

★Niemand konnte rechtzeitig im Büro sein. …直訳は「だれも定刻に出勤することはできなかった」。

★mit einem blauen Auge davonkommen …どうにかこうにか難を逃れる。直訳は「片目だけ青く腫らして切り抜ける」。≒ Glück im Unglück (不幸中の幸い)。

281 Halte mit deiner Meinung nicht hinter dem Berg!

[ハルテ ミット ダイナー マイヌング ニヒト ヒンター デム ベルク]

▶ **意見を隠さないで／遠慮なく言って！**

A : Na, ich weiß nicht recht.

B : Sag schon, was du denkst. **Halte mit deiner Meinung nicht hinter dem Berg!**

 A : さあ、どんなもんかな。
 B : 何を考えているのか言ってくれよ。意見を隠さないでさ。

★mit et³ hinter dem Berg halten … (わざと) ～を言わない。直訳は「山の後ろに隠す」。30年戦争で兵士を山の後ろに隠したことから。ここでは否定形で「～を隠さずに遠慮なく言う」の意。

Kapitel 6

遊び・グルメ フレーズ

友達と遊びに出かけたり、
食事に行ったり、買い物したり。
そんな場面で役立つ表現を集めました。
旅行中に役立つフレーズも入っています。

282 Prost!
[プロースト]
▶ 乾杯！

A : **Prost!**
B : Zum Wohl!

　A：乾杯！
　B：乾杯！

★Prost! … 乾杯！ ほかに Prosit! とも言う。また、Prosit Neujahr! は「新年おめでとう」の意。

283 Viel Spaß!
[フィール シュパース]
▶ 楽しんできてね！

A : Ich gehe heute in die Oper.
B : **Viel Spaß!**

　A：今日オペラに行くんだ。
　B：楽しんできてね！

★Viel Spaß. …直訳は「たくさんの楽しみを」。Spaß の代わりに Vergnügen とも言う。Viel Erfolg.（たくさんの成功を）は「がんばってね」と励ますときに使う。

284 Herzlichen Glückwunsch!
[ヘルツリヒェン グリュックヴュンシュ]
▶ おめでとう！

A : **Herzlichen Glückwunsch** zum Geburtstag!
B : Danke. Ich gratuliere dir auch zur bestandenen Prüfung.

　A：誕生日おめでとう。
　B：ありがとう。あなたも試験合格おめでとう。

★Herzlichen Glückwunsch! …おめでとう！ 直訳は「心からの幸せの願いを」。Alles Gute!（すべてのいいことを）は誕生日にも普段でも使える。「新年おめでとう」は Ein glückliches Neues Jahr! と言い、年が明ける前は Guten Rutsch (ins Neue Jahr)!（新年へのよい滑り込みを）と言う。

285 Guten Appetit!
[グーテン アペティート]

▶ **召し上がれ／いただきます。**

A: Ich habe etwas Neues gekocht. **Guten Appetit!**
B: Mahlzeit! Das sieht aber gut aus.

> A：新しい料理に挑戦したんだ。召し上がれ。
> B：いただきます。わあ、おいしそう。

★Ich habe etwas Neues gekocht. …直訳は「私は新しいものを料理した」。

★Guten Appetit! …召し上がれ、いただきます。直訳は「よい食欲を」。料理をこれから食べる人、今食べている人に言うことばで、料理を作った人、作ってもらった人、ウエイターなども使う。

★Mahlzeit! …召し上がれ、いただきます、おそまつさま、ごちそうさま。昼食時のあいさつ。直訳は「食事時」。Guten Appetit. と違って、食卓以外でも昼のあいさつとして広く使える。その場合は「こんにちは」「さようなら」の意。

286 Bitte lächeln!
[ビッテ レヒェルン]

▶ **はい、笑って！**

A: Kannst du uns bitte vor dem Gebäude fotografieren?
B: Ja, gerne. **Bitte lächeln!**

> A：その建物の前で皆の写真撮ってくれない？
> B：いいよ。はい、笑って！

★fotografieren …写真を撮る。本来は photographieren と綴ったが、今日ではほとんど f で書かれるようになった。

★lächeln …ほほえむ。ドイツ語には「はい、チーズ」に該当するような、広く普及した表現は特にない。英語の cheese をそのまま使ったり、そのドイツ語訳の Käse でも笑い顔になるのでふざけて使ったり、最近は日本食ブームで Sushi! と声をそろえて言っているのも耳にする。

287 Lieber nicht.
[リーバー ニヒト]
▶ やめとくよ。

A : Willst du mit mir tanzen gehen?
B : Nein, **lieber nicht.** Dann würde ich mich wie ein Elefant im Porzellanladen benehmen.

　　A : いっしょに踊りに行かない？
　　B : やめておく。行っても不器用で迷惑をかけそうだから。

★lieber nicht …直訳は「より好んで～しない、～しないほうがいい」。ここでは Ich gehe lieber nicht tanzen. の省略。

★sich wie ein Elefant im Porzellanladen benehmen …不器用でヘマをする、迷惑をかける。直訳は「陶器店の中の象のようにふるまう」。

288 Gehen wir essen?
[ゲーエン ヴィア エッセン]
▶ 食べに行こうか？

A : Es ist schon halb eins. **Gehen wir essen?**
B : Ja, gerne. Was willst du essen, französisch oder chinesisch?

　　A : もう12時半だ。食事に行こうか？
　　B : うん、喜んで。何が食べたい？ フレンチ？ 中華？

★Gehen wir essen? …動詞の接続法第１式と wir で始め、最後に疑問符をつけて語尾を上げると「～しましょうか？」という質問に、感嘆符をつけて語尾を下げると「～しましょう！」という提案（英語の Let's...）になる。gehen は例外的に zu なしでほかの動詞と「～しに行く」という意味で使える。例: trinken gehen（飲みに行く）、einkaufen gehen（買い物に行く）。

289 Versprochen ist versprochen.
[フェアシュプロホェン イスト フェアシュプロホェン]
▶ 約束だよ。

A : Wie wäre es, wer später kommt, zahlt das Essen?
B : Gut, **versprochen ist versprochen.**

　　A : 遅く来た人が食事をおごるっていうのはどう？
　　B : よし、約束だ。

★Wie wäre es? …それはどうかな？ 接続法第２式で婉曲に聞いている。

★Versprochen ist versprochen. …約束したでしょ、指きりげんまん。直訳は「約束されたことは約束されたことだ」。

290 Wer ist dran?
[ヴェーア イスト ドゥラン]
▶ だれの番？

A: **Wer ist dran?**
B: Du bist dran.

 A: だれの番？
 B: 君の番だよ。

★dran sein … 〜の番だ。

291 Solche sind in.
[ゾルヒェ ズィント イン]
▶ こういうのがはやってるんだ。

A: Deine Hose ist altmodisch.
B: Weißt du das nicht? **Solche sind** wieder **in.**

 A: 君のズボンは古くさいね。
 B: 知らないの？ こういうのがまたはやってるんだけど。

★in sein …流行している。

292 Wo bin ich?
[ヴォー ビン イヒ]
▶ ここはどこですか？

A: **Wo bin ich?**
B: Wir sind hinter dem Rathaus.

 A: ここはどこですか？
 B: 市役所の裏ですよ。

★Wo bin ich? …ここはどこですか？ 直訳は「私はどこにいるのか？」。Wo ist hier? と直訳しても通じないので注意。

293 Was kostet das?
［ヴァス コステット ダス］
▶ いくらですか？

A : Beim Sommerschlussverkauf ist es viel billiger.
B : Echt? **Was kostet das?**

　A : 夏物バーゲンだとはるかに安いよ。
　B : ほんとう？ これはいくら？

★Sommerschlussverkauf …夏物一掃バーゲンセール。冬物は Winterschlussverkauf, 季節に関係ない値下げ品は Sonderangebot（特売品）。

★Was kostet das? …おいくらですか？ Was の代わりに Wie viel とも言うほか、Wie teuer ist das?（それはどれぐらい高いか？）でも OK。また、複数の物を買うときは Was［Wie viel］macht das zusammen?（全部でおいくらですか？）とも言う。

294 Das war spottbillig.
［ダス ヴァー シュポットビリヒ］
▶ 超安かった。

A : Was kostet dein Handy?
B : **Das war spottbillig.**

　A : 君の携帯いくら？
　B : 超安かった。

★spottbillig sein …直訳は「あざ笑うぐらい安い」。sehr billig sein（とても安い）よりくだけた口語調。

★反対に「ものすごく高い」は sauteuer sein（メス豚の高さ）で、sehr teuer sein（とても高い）よりくだけた口語調。

295 Ich bin pleite.
［イヒ ビン プライテ］
▶ 金欠なんだ。

A : Gehen wir morgen trinken!
B : Bis zum nächsten Zahltag geht es nicht. **Ich bin pleite.**

　A : 明日飲みに行こうよ！
　B : 次の給料日までだめだ。金欠なんだよ。

★pleite sein …破産だ、すかんぴんだ、金を使い果たした ≒ auf dem Trockenen sitzen（⇒ 448 ）、in der Tinte sitzen（⇒ 159 ）。

296 Das kenne ich.
[ダス ケネ イヒ]
▶ 私も行ったことある。

A : Das Schwefelbad dort ist gut für die Haut.
B : **Das kenne ich.** Ich war mit meiner Ex da, die begeistert war.

　A：そこの温泉は肌にいいの。
　B：僕も行ったことある。元カノと行ったら、感激してた。

★Das kenne ich. …食べたこと・行ったこと・やったことがある。直訳は「それを私は経験して知っている」。kennen と違って wissen は知識としてだけ「知っている」という意味。

★Ex …男性名詞ならば Ex-Freund（元カレ）、Ex-Mann（別れた夫）、女性名詞ならば Ex-Freundin（元カノ）、Ex-Frau（別れた妻）などのこと。

297 Ich bin beschwipst.
[イヒ ビン ベシュビプスト]
▶ 酔っちゃった。

A : **Ich bin** schon **beschwipst.**
B : Nach einer Flasche Bier? Ausgeschlossen!

　A：もう酔っちゃった。
　B：ビール1本で？ ありえない！

★beschwipst sein …ほろ酔いだ。
★nach et³ … ～のあとで。
★ausgeschlossen …不可能な、ありえない。

298 Es schmeckt interessant.
[エス シュメクト インテレサント]
▶ 不思議な味だ。

A : Wie schmeckt es dir?
B : Danke. **Es schmeckt interessant.**

　A：お味はいかが？
　B：ありがとう、不思議な味だな。

★「まずい」と言いにくい場合、首をかしげながら Es schmeckt interessant.（それは興味深い味がする）と言うと、初めて食べる物で、あまり感激していないことが伝わる。

★合わせて、Es schmeckt nicht (gut).（まずい）、Es schmeckt (gut).（おいしい）、Es schmeckt sehr gut.（とてもおいしい）、Es schmeckt ausgezeichnet.（抜群においしい）などの言い方も覚えておこう。

KAPITEL 6

299 Du bist spät dran.
[ドゥー ビスト シュペート ドゥラン]

▶ 遅いよ。

A : **Du bist spät dran.** Das Konzert beginnt schon in einer Minute.
B : Als ich gerade gehen wollte, kam der Chef und fing an, mir das neue Projekt zu erklären. Da saß ich wie auf glühenden Kohlen.

A : 遅かったね。コンサートは 1 分後に始まるよ。
B : 私がちょうど出ようとしたとき、ボスが来て、新しいプロジェクトの説明を始めたの。あせって気が気じゃなかった。

★spät d(a)ran sein … 予定より遅い、この分だと遅れる。

★fing an は anfangen（始まる = beginnen）の過去形。

★wie auf glühenden Kohlen sitzen … （あせりなどで）いても立ってもいられない。直訳は「真っ赤な炭の上にすわっている」。

300 Ich habe großen Hunger.
[イヒ ハーベ グローセン フンガー]

▶ 腹ペコだ。

A : Hast du schon Hunger?
B : Ja, **ich habe großen Hunger.** Und du?
A : Ich habe keinen Hunger, aber großen Durst.

A : もうおなかすいた？
B : うん、ペコペコ。君は？
A : おなかはすいてないけど、のどがカラカラ。

★(großen) Hunger haben … 直訳は「（大きな）空腹をもっている」⇔ keinen Hunger haben（おなかがすいてない）。

★同様に großen Durst haben は「のどがすごくかわいている」⇔ keinen Durst haben（かわいていない）。

301 Verlangen wir die Rechnung.

[フェアランゲン ヴィーア ディー レヒヌング]

▶ **お勘定を頼もう。**

A : Mensch, es war sehr vornehm, lecker und reichlich.
B : Das dicke Ende kommt noch. **Verlangen wir die Rechnung.**

> A：あーあ、とても高級で、おいしくて、たっぷりだったね。
> B：あとがこわいぞ。会計を頼もう。

★Das dicke Ende kommt noch. …直訳は「たいへんな終わりがさらに来る」。

★ドイツ語圏のレストランにレジはなく、テーブルで支払う。食べ終わったら „Bitte zahlen!" とか „Wir möchten bezahlen." (勘定をお願いします) と言って清算する。チップは 5〜10% ぐらい。

302 Wir sind das Schlusslicht.

[ヴィーア ズィント ダス シュルスリヒト]

▶ **僕たちはビリだ。**

A : Eure Mannschaft hat gestern wieder verloren.
B : Ja, **wir sind das Schlusslicht.**

> A：あなたたちのチームは昨日も負けたね。
> B：ああ、最下位だ。

★das Schlusslicht sein …ビリだ、しんがりだ。直訳は「テールランプだ」。sein の代わりに machen や bilden も使える。⇔ führen (リードしている、目下のところ 1 位だ)。

303 Ich habe einen Kater.

[イヒ ハーベ アイネン カーター]

▶ **二日酔いだ。**

A : Gestern habt ihr viel getrunken. Hast du keinen Kater?
B : Doch, **ich habe einen Kater.** Ich habe Kopfschmerzen und fühle mich schlecht.

> A：昨日たくさん飲んでたね。二日酔いじゃないの？
> B：いや、二日酔いだよ。頭が痛くて、気分悪い。

★einen Kater haben …二日酔いだ。直訳は「オス猫をもっている」。ライプツィヒの学生たちが Katarrh (カタル＝鼻かぜ) を Kater (カーター＝オス猫) にドイツ語化したという説がある。

304 Ich habe einen Muskelkater.
[イヒ ハーベ アイネン ムスケルカーター]
▶ 筋肉痛だ。

A : Du hast nach langer Zeit wieder Tennis gespielt. Dafür warst du sehr gut!
B : Danke. Aber heute **habe ich einen** schrecklichen **Muskelkater.**

　A : 君久しぶりにテニスしたんだよね。そのわりにはうまかったよ。
　B : ありがとう。でも今日ひどい筋肉痛なの。

★einen Muskelkater haben …筋肉痛だ。直訳は「筋肉のオス猫をもっている」。

305 Wollen wir einkaufen gehen?
[ヴォレン ヴィーア アインカウフェン ゲーエン]
▶ 買い物に行こうか？

A : Wollen wir einkaufen gehen?
B : Meinetwegen.

　A : 買い物に行かない？
　B : かまわないよ。

★„Wollen wir...?" (私たちは〜したいか？) は「〜しませんか？」と提案する表現。
★meinetwegen …私としてはかまわない、まあいいですよ (⇒ 5)。

306 Das schmeckt nach mehr.
[ダス シュメクト ナーハ メーア]
▶ おかわりしたいほどおいしい。

A : Bitte greif noch zu!
B : Danke. **Das schmeckt nach mehr,** aber ich bin schon satt.

　A : どうぞもっと取って。
　B : ありがとう。おかわりしたいほどおいしいけど、もうおなかいっぱい。

★nach mehr schmecken (おかわりしたいほどおいしい) の nach は類似を表す。例： Es schmeckt [riecht] nach Knoblauch. (にんにくの味 [におい] がする)、Es sieht nach Regen aus. (雨が降りそうだ)。

307 Ich bin nicht betrunken!
[イヒ ビン ニヒト ベトルンケン]
▶ 酔ってない！

A : Ich bin nicht betrunken!
B : Das sagt er immer, wenn er betrunken ist.

　A：酔ってない！
　B：この人、酔うといつもそう言うのよね。

★betrunken sein …ぐでんぐでんに酔っぱらっている。似た表現で blau sein はくだけた言い方、besoffen sein は酔い方がさらにひどいニュアンス。いい気分に酔ったときは beschwipst sein (ほろ酔いだ)。

308 Mach bitte keine Umstände!
[マハ ビッテ カイネ ウムシュテンデ]
▶ おかまいなく。

A : Möchtest du Bier oder Wein oder vielleicht Champagner?
B : **Mach bitte keine Umstände!** Ich muss gleich wieder gehen.

　A：ビールとワイン、どっちがいい？　それともひょっとしてシャンペン？
　B：どうぞおかまいなく。すぐおいとましなくちゃならないんだ。

★keine Umstände machen …かまわない、手間をかけない。

309 Die Leute stehen Schlange.
[ディー ロイテ シュテーエン シュランゲ]
▶ 行列ができてる。

A : Siehst du das Restaurant drüben? **Die Leute stehen Schlange.**
B : Stellen wir uns auch an. Es muss dort sicher gut schmecken.

　A：向こうのレストランを見て。行列ができてる。
　B：私たちも並びましょう。絶対おいしいはず。

★Schlange stehen …行列を作って待つ。直訳は「蛇になって立っている」。
★sich⁴ anstellen …並ぶ。

KAPITEL 6

310 Hatte dein Zug Verspätung?
[ハッテ ダイン ツーク フェアシュペートゥング]
▶ 電車が遅れたの？

A: **Hatte dein Zug Verspätung?** Oder hast du den Zug nicht erwischt?
B: Tja, er ist mir vor der Nase weggefahren.

> A: 電車が遅れたの？ それとも電車に乗り遅れたの？
> B: まいったな、目の前でドアが閉まって乗りそこなったんだ。

★nicht erwischen …逃す。nicht erreichen よりくだけた口語。

★tja …あきらめ・ためらい・迷いなどを表す間投詞。

★j³ vor der Nase wegfahren …直訳は「～の鼻の前で発車する」。mir は体の部分をさす3格。vor meiner Nase とは言わない。

311 Wie kommt man zum Bahnhof?
[ヴィー コムト マン ツム バーンホーフ]
▶ 駅へはどう行ったらいいですか？

A: **Wie kommt man zum Bahnhof?**
B: Gehen Sie hier geradeaus, dann nach rechts.

> A: 駅へはどう行ったらいいですか？
> B: ここをまっすぐ行って、それから右折です。

★„Wie kommt man...?" は「～へはどう行ったらいいですか？」の意。ある場所に近づくときは gehen ではなく kommen を使う。man (不特定の「人は、人々は」；ただし文法的には単数扱い) は、一人称や二人称の代わりにも使える。ここでは、„Wie komme ich...?" や „Wie kommen wir...?" とも言える。

312 Wer zuerst kommt, mahlt zuerst.
[ヴェーア ツエルスト コムト マールト ツエルスト]
▶ 早いもの勝ち。

A: Du hast einen schönen Platz ergattert.
B: Ja. **Wer zuerst kommt, mahlt zuerst.**

> A: いい席をゲットしたね。
> B: うん、早いもの勝ちよ。

★et⁴ ergattern …～をうまくせしめる。

★Wer zuerst kommt, mahlt zuerst. …直訳は「最初に来た人が粉をひく」。重要な主食の原料小麦粉をさしている。なお、mahlen (ひく) と同じ発音で、malen (絵を描く) という語もある。

313 Geteilte Freude ist doppelte Freude.
[ゲタイルテ　フロイデ　イスト　ドッペルテ　フロイデ]
▶ **喜びは分かつと倍になる。**

CHECK✓

A : Möchtest du die Hälfte von meinem Kuchen haben?
B : Ja, gerne, aber reicht dir die Hälfte?
A : **Geteilte Freude ist doppelte Freude.**

　　A：僕のケーキ半分ほしい？
　　B：うん、だけどあなた半分じゃ足りないんじゃない？
　　A：喜びは人に分かつと倍になるんだよ。

★Geteilte Freude ist doppelte Freude. …直訳は「分けられた喜びは倍の喜び」。

314 Neujahr steht vor der Tür.
[ノイヤー　シュテート　フォア　デア　テューア]
▶ **もうすぐお正月だ。**

CHECK✓

A : **Neujahr steht vor der Tür.**
B : Ja, wie verbringst du die Jahreswende?

　　A：もうすぐお正月だね。
　　B：そうね。年末年始はどう過ごすの？

★vor der Tür stehen …目前にせまっている。直訳は「門戸の前にある」。
★Jahreswende …年の変わり目。

315 Wir lebten in Saus und Braus.
[ヴィーア　レープテン　イン　ザウス　ウント　ブラウス]
▶ **贅沢三昧した。**

CHECK✓

A : Wie war euer Urlaub am Mittelmeer?
B : Sehr schön. **Wir lebten** eine Woche **in Saus und Braus.**

　　A：地中海のバカンスどうだった？
　　B：すばらしかった。1週間贅沢三昧したんだ。

★in Saus und Braus leben …豪勢に暮らす、贅沢三昧する。直訳は「飲めや歌えの大騒ぎで暮らす」。

KAPITEL 6

316 Erst die Arbeit, dann das Vergnügen.
[エルスト ディー アルバイト ダン ダス フェアグニューゲン]
▶ **するべきことをしてからお楽しみ。**

A : Gehen wir zuerst essen oder zum Amt?
B : Zum Amt. **Erst die Arbeit, dann das Vergnügen.**

　　A：先に食事に行く？ それとも役所？
　　B：役所。するべきことをしてからお楽しみ。

★Erst die Arbeit, dann das Vergnügen. …直訳は「まず仕事、それから楽しみ」。

317 Das kann ich mir nicht leisten.
[ダス カン イヒ ミーア ニヒト ライステン]
▶ **私には買えないな。**

A : Zu teuer! **Das kann ich mir nicht leisten.**
B : Vielleicht werden dir deine Eltern unter die Arme greifen.

　　A：高すぎる！ これは僕には手が届かないよ。
　　B：ひょっとしたらご両親が援助してくださるんじゃない？

★(sich³) et⁴ leisten …奮発して買う。kaufen に似ているが、leisten は大きな買い物に使う。
★j³ unter die Arme greifen …（経済的に）～を援助する。直訳は「～の腕の下を持つ」。ただし j⁴ auf den Arm nehmen は「～をからかう」。

318 Mir läuft das Wasser im Munde zusammen.
[ミーア ロイフト ダス ヴァッサー イム ムンデ ツザメン]
▶ **食べたくてよだれが出る。**

A : Mensch! Die Nachspeise am Nebentisch sieht ja gut aus.
B : Ja, **mir läuft** auch **das Wasser im Munde zusammen.**

　　A：すごい！ 隣のテーブルのデザートおいしそう！
　　B：僕もよだれが出た。

★Wasser は、ここでは Mundwasser（唾）のこと。
★mir は体の部分をさす３格。in meinem Mund ではなく、mir im Mund と言う。
★Munde の語尾 -e は昔のなごりで、今日ではつけなくてもいい。

319 Ich möchte dir nicht zur Last fallen.
[イヒ メヒテ ディーア ニヒト ツア ラスト ファレン]
▶ ごやっかいになるのは申し訳ない。

A : Wenn du nach Zürich kommst, kannst du bei mir wohnen.
B : **Ich möchte dir nicht zur Last fallen.**
A : Du fällst mir nicht zur Last.

 A : チューリヒに来たら、うちに泊まればいい。
 B : ごやっかいになるのは悪いよ。
 A : やっかいじゃないって。

★wohen …ここでは übernachten (泊まる) と同じ。
★j³ zur Last fallen … ～のやっかいになる。直訳は「～にとって重荷になる」。

320 Meine Augen waren größer als der Magen.
[マイネ アウゲン ヴァーレン グレーサー アルツ デア マーゲン]
▶ 食べきれないほど取っちゃった。

A : Isst du nichts mehr? Wieso? Geht es dir schlecht? Fühlst du dich nicht wohl?
B : Nein, nein. Mir geht es ausgezeichnet. Aber **meine Augen waren größer als der Magen.**

 A : もう食べないの？ どうして？ 調子悪いの？ 気分悪いの？
 B : 違う違う。絶好調だよ。でも食べきれないほど取っちゃったんだ。

★warum (なぜ) よりも wieso (どうして) のほうがいぶかるニュアンスが加わる。
★Es geht j³ gut. … ～は元気だ。ausgezeichnet は sehr gut よりもさらによい。
★sich⁴ wohl fühlen …気分がいい ⇔ sich⁴ nicht wohl fühlen, sich⁴ schlecht fühlen (気分が悪い)。
★nein …いいえ。くだけた口語だと北部では ne または nö, 南部では na とも言う。
★Meine Augen waren größer als der Magen. …直訳は「私の目は胃より大きかった」。

KAPITEL 6

321 Das Geld dafür wäre zum Fenster hinausgeworfen.

[ダス ゲルト ダフューア ヴェーレ ツム フェンスター ヒンナウスゲヴォルフェン]

▶ **むだ遣いだよ。**

A : Ich möchte den wunderschönen Tisch kaufen.
B : Was, den alten, sauteuren Tisch? Vergiss das! **Das Geld dafür wäre zum Fenster hinausgeworfen.**

> A：あのすばらしいテーブルがほしいな。
> B：あの古くてくそ高いテーブル？ やめとけ。あんなの買ったら金のむだ遣いだよ。

★Vergiss das. ≒ Lass das. …やめておけ。

★das Geld zum Fenster hinauswerfen …金をむだ遣いする。Das Geld dafür ist zum Fenster hinausgeworfen. は直訳すると「そのための金は窓の外に投げ捨てられた状態にある」。„sein＋過去分詞" で状態受動が使われている。wäre は「もしそんなものを買ったとしたら」という非現実を表した接続法第 2 式。

322 Ich muss mich schon auf die Socken machen.

[イヒ ムス ミヒ ショーン アウフ ディー ゾッケン マヘン]

▶ **私もう行かなくちゃ。**

A : Das Konzert beginnt in einer Stunde.
B : Dann **muss ich mich schon auf die Socken machen.**

> A：コンサートは 1 時間後に始まるよ。
> B：じゃあ、私もう行かなくちゃ。

★sich⁴ auf die Socken machen …（急いで）出発する、ずらかる。直訳は「自分をソックスの上に乗せる」。Socke は「軽い靴」でもあり「ウサギの足」もさす。したがって「ウサギのように速く逃げる」とも考えられる。また、Socken の代わりに Strümpfe（靴下）や Beine（足）と言っても同じ意味。

323 Du hattest dich ja so sehr darauf gefreut.

[ドゥー ハッテスト ディヒ ゾー ゼーア ダラウフ ゲフロイト]

▶ **あんなに楽しみにしてたのに。**

A : Warum warst du nicht im Theater? **Du hattest dich ja so sehr darauf gefreut.**

B : Ja, aber die Erkältung hat mir einen Streich gespielt und ich musste das Bett hüten.

　A：なんで劇場に来なかったの？ あんなに楽しみにしてたじゃないか。
　B：うん、でも風邪がいたずらをして、床につかなくてはならなかったの。

★j³ einen Streich spielen … 〜にいたずらする、悪さをする（主語は「子ども」から「運命」までいろいろ可）。

★das Bett hüten … 病気で床についている。直訳は「ベッドの見張りをする」。das Haus hüten は「留守番する、家の見張りをする」。

324 Wir müssen die Beine unter die Arme nehmen.

[ヴィーア ミュッセン ディー バイネ ウンター ディー アルメ ネーメン]

▶ **急がなくちゃ。**

A : Es ist schon halb sechs.

B : Dann **müssen wir die Beine unter die Arme nehmen.**

　A：もう5時半だよ。
　B：じゃあ、急がなくちゃ。

★halb sechs … 5時半（「6時半」ではないので注意）。何時を過ぎたかではなく、何時に向かっているかを言う。

★die Beine unter die Arme nehmen … 急ぐ、一目散に逃げる。直訳は「足を腕の下に抱える」。

KAPITEL 6

325 Ich habe mir die Nacht um die Ohren geschlagen.

[イヒ ハーベ ミーア ディー ナハト ウム ディー オーレン ゲシュラーゲン]

▶ 徹夜した／一晩中遊び明かした。

A : Hast du dir die letzte Nacht mit Vergnügen um die Ohren geschlagen?
B : Nein, **ich habe mir die** ganze **Nacht** mit Lernen **um die Ohren geschlagen.** Ich habe mich auf die Prüfung vorbereitet.

　　A：昨日の夜遊び明かしたの？
　　B：違う、勉強で完徹したんだ。試験勉強してたんだよ。

★sich³ (mit et³) die (ganze) Nacht um die Ohren schlagen …仕事や勉強で（完全）徹夜する、一晩中飲み・遊び明かす。直訳は「～でもって一晩中自分の耳のまわりをたたく」。

326 Da werde ich den Tag im Kalender rot anstreichen.

[ダー ヴェルデ イヒ デン ターク イム カレンダー ロート アンシュトライヒェン]

▶ じゃあ、予定に入れておくね。

A : Nächsten Sonntag mache ich meine Geburtstagsparty.
B : **Da werde ich den Tag im Kalender rot anstreichen.**

　　A：来週の日曜、誕生パーティーを開くんだ。
　　B：じゃあ、予定に入れておくね。

★den Tag im Kalender rot anstreichen …その日は記念すべきなので覚えておく。直訳は「カレンダーのその日に赤い印をつける」。一人称の未来形は、たいてい強い意志を表す。

Kapitel 7

恋愛 フレーズ

恋人同士のラブラブな会話や、友達との
恋バナで使える表現が、この章で学べます。
相手への想いを伝える甘いセリフのほか、
ちょっと冷たいひとことも。

327 Magst du mich?
[マークスト　ドゥー　ミヒ]
▶ 私のこと好き？

A: **Magst du mich?**
B: Nein, ich liebe dich.

 A: 私のこと好き？
 B: いーや、愛してる。

★mögen …好きだ。gern haben と同じ。lieben ははるかに強い。その中間が lieb haben。

328 Bist du eifersüchtig?
[ビスト　ドゥー　アイファーズュヒティヒ]
▶ やいてるの？

A: Auf wen hast du ein Auge geworfen? Auf Inge?
B: **Bist du eifersüchtig?**

 A: だれに目をつけたの？　インゲ？
 B: やいてんの？

★auf j⁴/et⁴ ein Auge werfen …（特に女性に）目をつける。直訳は「〜に片目を投げる」。ほしい「物」にも使える。auf j⁴/et⁴ ein Auge haben（〜から目を離さないでいる）という表現もある。

★eifersüchtig sein …嫉妬する。

329 Du raspelst Süßholz.
[ドゥー　ラスペルスト　ズュースホルツ]
▶ 甘いことばで言い寄る。

A: **Du raspelst Süßholz.** Auf diese Weise kannst du jedoch bei mir nicht ankommen.
B: Aber nein! Ich bin nur sehr freundlich.

 A: 甘いことばで言い寄っても、その手はくわないよ。
 B: 違うよ！　僕はやさしすぎるんだな。

★Süßholz raspeln …（男が女に）甘いことばで言い寄る。直訳は「甘草をすりおろす」。
★auf diese Weise …このやり方で、この方法で。
★bei j³ ankommen …〜に受け入れられる、気に入られる。

330 Wollen wir uns versöhnen?
[ヴォレン ヴィーア ウンス フェアゼーネン]
▶ 仲直りしようか？

A : **Wollen wir uns** nicht doch **versöhnen?** Ich bereue es.
B : Ja. Ich hätte auch nicht so grob reden sollen.

> A : やっぱり仲直りしない？ 後悔してるの。
> B : うん、僕も言い過ぎた。

★Ich hätte auch nicht so grob reden sollen. は「私もあんなに荒っぽく話すべきではなかった」という意味。

331 Wie lautete dein Heiratsantrag?
[ヴィー ラウテテ ダイン ハイラーツアントラーク]
▶ プロポーズのことばは何だったの？

A : Wie lautete dein Heiratsantrag?
B : Ich habe bei ihren Eltern um die Hand der Tochter angehalten.

> A : プロポーズのことばは何だったの？
> B : ご両親にお嬢さんをくださいって頼んだんだ。

★um die Hand anhalten …相手の親に結婚の承諾を頼む。anhalten の代わりに bitten とも言う。相手に直接プロポーズするのは j³ einen Heiratsantrag machen.

332 Die Luft ist rein.
[ディー ルフト イスト ライン]
▶ 邪魔者はいない。

A : Heute ist meine Familie abgereist.
B : **Die Luft ist rein.**

> A : 今日から家族は旅行よ。
> B : だれにも邪魔されないね。

★Die Luft ist rein. …覗かれたり盗み聞きされる危険はない、だれもいなくて邪魔されない。直訳は「空気はきれいだ」。

KAPITEL 7

333 Willst du mich heiraten?
[ヴィルスト ドゥー ミヒ ハイラーテン]
▶ 私と結婚してくれますか？

A : Wohin möchtest du auf die Hochzeitsreise?
B : Was? Ist das dein Heiratsantrag? **Willst du mich heiraten?**

> A : 新婚旅行はどこに行きたい？
> B : え？ それプロポーズのことば？ 私と結婚したいの？

★Willst du mich heiraten? …直訳は「あなたは私と結婚する意志があるか」。

334 Er ist mein Schwarm.
[エア イスト マイン シュヴァルム]
▶ あこがれの人だ。

A : Wie hübsch und attraktiv der Fußballer ist! **Er ist mein Schwarm.**
B : Mein Schwarm ist die Schauspielerin.

> A : あのサッカー選手はなんてハンサムで魅力的なの！ 私のあこがれの人。
> B : 僕のマドンナはあの女優だな。

★Schwarm …あこがれの的、アイドル。

335 Lass deine Finger von ihm.
[ラス ダイネ フィンガー フォン イーム]
▶ 彼はやめておけ。

A : Ich möchte mal mit Klaus ausgehen.
B : **Lass deine Finger von ihm.** Er ist ein Don Juan.

> A : 一度クラウスとデートしたいな。
> B : 彼はやめておけよ。プレイボーイだから。

★die Finger von 3格 lassen … ～から手を引く、やめておく。直訳は「～から指を引く」。

★Don Juan …ドン ファン。多くの芸術作品にも取り上げられているスペインの伝説的な人物で、プレイボーイの代名詞となっている。この場合の ein は「～みたいな人」。

336 Er macht dir den Hof.
[エア マハト ディーア デン ホーフ]
▶ 君に言い寄っているね。

A : **Er macht dir den Hof.**
B : Nein, er ist zu mir nur sehr nett.

　　A : 彼は君に言い寄ってるね。
　　B : ううん、とても親切なだけよ。

★j³ den Hof machen …女性におべっかを使って言い寄る。Hof は中世の「宮廷」に由来するので、本来は紳士的な接近のみを意味した。

337 Der macht dir schöne Augen.
[デア マハト ディーア シェーネ アウゲン]
▶ あいつが君に色目をつかっている。

A : **Der macht dir schöne Augen.**
B : Welcher denn?

　　A : あいつ、君に色目をつかってるよ。
　　B : どの人？

★j³ schöne Augen machen … 〜に色目をつかう。直訳は「〜に向かってきれいな目をする」。

★der や welcher は指示代名詞で、ここでは後ろに Mann とか Kerl が省略されている。

338 Sie ist in guter Hoffnung.
[ズィー イスト イン グーター ホフヌング]
▶ おめでただ。

A : Hat Ilse zugenommen?
B : Nein, **sie ist in guter Hoffnung.**

　　A : イルゼは太った？
　　B : ううん、おめでたよ。

★in guter Hoffnung sein …おめでただ。直訳は「よい希望の状態にいる」。≒ schwanger sein (妊娠中だ)、in anderen Umständen sein (別の状態にある)。

339 Bitte lass mich nicht sitzen!
[ビッテ ラス ミヒ ニヒト ズィッツェン]
▶ 私を捨てないで！

A : Ich habe einen anderen Mann kennen gelernt.
B : Bitte lass mich nicht sitzen!

 A：いい人と知り合ったの。
 B：僕を捨てないで！

★j⁴ sitzen lassen …（恋人・家族を）捨てる。直訳は「すわらせておく」。旧正書法では分離動詞 sitzenlassen と表記する。同様に、kennen lernen も旧正書法では分離動詞 kennenlernen。

340 Er ist in dich verknallt.
[エア イスト イン ディヒ フェアクナルト]
▶ 君にぞっこんだ。

A : Ist er langsam wieder zur Vernunft gekommen?
B : Nein, **er ist** nach wie vor **in dich verknallt.**

 A：彼はそろそろ目が覚めた？
 B：いや、相変わらず君に首ったけだ。

★wieder zur Vernunft kommen …正気に立ち返る。直訳は「再び理性的になる」。

★nach wie vor …相変わらず。直訳は「前のようにあとも」。

★in j⁴ verknallt sein …～に首ったけだ、ぞっこん参っている ≒ sich in j⁴ verknallen（～にぞっこんほれこむ）。

341 Ich denke immer an dich.
[イヒ デンケ イマー アン ディヒ]
▶ いつもあなたのこと考えてる。

A: Ich denke immer an dich.
B: Ich auch an dich. Ich kann es kaum erwarten, dich wiederzusehen.

　　A：いつもあなたのことばかり考えてるの。
　　B：僕もだ。会うのが待ちきれないよ。

★an j⁴ denken … 〜のことを考える、忘れない ≒ nicht aus dem Kopf gehen（頭から離れない）。

★es kaum erwarten können, etwas zu tun … 〜するのが待ちきれない。

342 Liebe geht durch den Magen.
[リーベ ゲート ドゥルヒ デン マーゲン]
▶ 男心をとらえるのはおいしい手料理。

A: Susi kann sehr gut kochen.
B: Liebe geht durch den Magen.

　　A：スージーは料理がすごくうまいんだ。
　　B：男はおいしい手料理に弱いからね。

★Liebe geht durch den Magen. …直訳は「愛は胃を通り抜ける」。

343 Sie sind in den Flitterwochen.
[ズィー ズィント イン デン フリッターヴォホェン]
▶ 新婚ホヤホヤだ／ハネムーン中だ。

A: Sind Ralf und Inge verreist?
B: Ja. Sie sind in den Flitterwochen.

　　A：ラルフとインゲは旅行に行ったの？
　　B：ああ。ハネムーンだ。

★in den Flitterwochen sein …蜜月中だ、新婚ホヤホヤだ、ハネムーン中だ。

KAPITEL 7

344 Möchtest du meine Frau werden?
[メヒテスト ドゥー マイネ フラウ ヴェルデン]
▶ 僕の妻になってくれますか？

A : Möchtest du meine Frau werden?
B : Ja. Mein Traum geht in Erfüllung.

> A : 僕の妻になってくれる？
> B : ええ。夢だったの。

★Mein Traum geht in Erfüllung. …直訳は「私の夢がかなう」。

345 Kannst du mich glücklich machen?
[カンスト ドゥー ミヒ グリュックリヒ マヘェン]
▶ 幸せにしてくれる？

A : Kannst du mich glücklich machen?
B : Ja, lass uns gemeinsam glücklich werden.

> A : 幸せにしてくれる？
> B : ああ、いっしょに幸せになろう。

346 Ich habe den Richtigen gefunden.
[イヒ ハーベ デン リヒティゲン ゲフンデン]
▶ ふさわしい人をみつけた。

A : Ich dachte, dein Letzter wäre der Richtige gewesen.
B : Denkste. Aber nun **habe ich** endlich **den Richtigen gefunden**.

> A : 前の彼氏がふさわしい人だと思ったんだけどなあ。
> B : ところが、今度こそついにふさわしい人をみつけたの。

★den Richtigen [die Richtige] finden …ふさわしい結婚相手をみつける。den Richtigen [die Richtige] は形容詞 richtig の名詞化。直訳は「適切な男性 [女性] をみつける」。

347 Können wir gute Freunde bleiben?
[ケネン ヴィーア グーテ フロインデ ブライベン]
▶ いいお友だちのままでいられるかな？

A : Wir passen nicht gut zusammen. Wäre es nicht besser, dass wir uns trennen?
B : **Können wir** weiter **gute Freunde bleiben?**

　　A：私たちは合わないね。別れたほうがよくない？
　　B：今後もいいお友だちでいられる？

★zusammenpassen …調和する、相性がいい。
★sich⁴ trennen …別れる、別居する。

348 Ich habe einen Korb bekommen.
[イヒ ハーベ アイネン コルプ ベコメン]
▶ ふられた。

A : Sie hat Erwin einen Korb gegeben.
B : Nein, **ich habe einen Korb bekommen.**

　　A：彼女、エルヴィンをふったのよ。
　　B：いや、ふられたのは僕だ。

★j³ einen Korb geben …（女性が）ふる。直訳は「かごを渡す」。中世に求愛された女性は、男性を乗せて引き上げるかごを城の中から下ろしたが、いやな相手だとかごの底が抜けるように細工しておいた。その後、このフレーズができた経緯にはいろいろな説がある。
★einen Korb bekommen …（女性に）ふられる。直訳は「かごをもらう」。

349 Ich leide unter einer unerwiderten Liebe.
[イヒ ライデ ウンター アイナー ウンエアヴィーデルテン リーベ]
▶ 片思いで悩んでいる。

A: Hast du etwa Liebeskummer?
B: Erraten, **ich leide unter einer unerwiderten Liebe.**

　A: まさか恋わずらいじゃないよね。
　B: 大正解、片思いに苦しんでるの。

★etwa …まさかとは思うが。話し手の懸念を表す心態詞。
★erraten は Du hast es erraten.（あなたの推測は当たった）の省略。
★unter et³ leiden … 〜に苦しむ。ただし an et³ leiden は「〜の病気にかかっている」。
★eine unerwiderte Liebe …片思い、報いられない愛。

350 Ihr Freund soll fremd gegangen sein.
[イーア フロイント ゾル フレムト ゲガンゲン ザイン]
▶ 恋人が浮気したんだって。

A: Paula hat einen neuen Begleiter.
B: **Ihr Ex-Freund soll fremd gegangen sein.**

　A: パウラの連れは新しい人だね。
　B: 元カレは浮気したんだって。

★fremd gehen …浮気する ≒ einen Seitensprung machen（ちょっと浮気する；⇒ 365 ）。

351 Ich habe dir etwas zu gestehen.
[イヒ ハーベ ディーア エトヴァス ツー ゲシュテーエン]
▶ 白状することがあるんだ。

A: **Ich habe dir etwas zu gestehen.** Hörst du mir zu, ohne dich aufzuregen?
B: OK. Ich bin auf das Schlimmste gefasst.

　A: 白状しなくちゃならないことがあるんだ。怒らないで聞いてくれる？
　B: いいわ。最悪の事態を覚悟してるから。

★j³ zuhören … 〜の言うことに耳を傾ける。
★sich⁴ aufregen …興奮する、憤慨する。
★auf et⁴ gefasst sein … 〜を覚悟している。

352 Ich komme bald unter die Haube.
[イヒ コメ バルト ウンター ディー ハウベ]
▶ もうすぐ結婚する。

A : Ich komme bald unter die Haube.
B : Was!? Gratuliere!

> A : 私もうすぐ結婚するんだ。
> B : えっ!? おめでとう!

★unter die Haube kommen … (女性が) 結婚する。直訳は「ベール (角隠し) をかぶる」。unter der Haube sein は「結婚している」。

353 Sie hat dir den Kopf verdreht.
[ズィー ハット ディーア デン コプフ フェアドレート]
▶ 彼女に首ったけだね。

A : Für sie kann ich durchs Feuer gehen!
B : Sie hat dir den Kopf verdreht.

> A : 彼女のためならたとえ火の中水の中。
> B : すっかり首ったけにされたね。

★für j^4 durchs Feuer gehen … 〜のためなら火の中へも行ける。
★j^3 den Kopf verdrehen …恋のとりこにする、首ったけにする。直訳は「〜の頭をねじ曲げる」。

354 Mit wem hast du ein Techtelmechtel?
[ミット ヴェーム ハスト ドゥー アイン テヒテルメヒテル]
▶ だれとこっそり付き合ってるの？

A : Mit wem hast du ein Techtelmechtel?
B : Wer verrät denn so was!

> A : だれとこっそり付き合ってるの？
> B : そんなことだれが言うもんか。

★mit j^3 ein Techtelmechtel haben … 〜と秘密の色恋関係にある。
★verraten … (秘密を) もらす。
★so was は so etwas の略で、「そのようなことを」の意。

KAPITEL 7

355 Hast du dich in sie verliebt?
[ハスト ドゥー ディヒ イン ズィー フェアリープト]
▶ 彼女にほれ込んじゃったの？

A : Hast du dich in sie verliebt?
B : Ja, ich bin in sie verliebt.

 A：彼女にほれ込んじゃったの？
 B：うん、ほれてる。

★sich⁴ in j⁴ verlieben … ～にほれる、夢中になる。
★in j⁴ verliebt sein … ～にほれている、夢中だ。

356 Ich habe dich ins Herz geschlossen.
[イヒ ハーベ ディヒ インス ヘルツ ゲシュロッセン]
▶ 君のことが大好きになった。

A : Ich habe dich ins Herz geschlossen.
B : Ich fand dich auch vom ersten Augenblick an sympathisch.

 A：君のことが大好きになっちゃった。
 B：私もあなたっていい人だなってすぐ思った。

★j⁴ ins Herz schließen …ある人が大好きになる。直訳は「心の中に閉じ込める」。
★vom ersten Augenblick an …最初の瞬間から。
★j⁴ sympathisch finden …～のことを好感がもてると思う。

357 Ich habe ihm den Laufpass gegeben.
[イヒ ハーベ イーム デン ラウフパス ゲゲーベン]
▶ お払い箱にした。

A : Warum weint Josef?
B : Ich habe ihm den Laufpass gegeben.

 A：なんでヨーゼフは泣いてるの？
 B：私がお払い箱にしたから。

★j³ den Laufpass geben …別れる、追い出す、クビにする。直訳は「免職証明書をわたす」。18世紀の兵士はこれをもらうと除隊することができた。

358 Ich habe für ihn viel übrig.
[イヒ ハーベ フューア イーン フィール ユーブリヒ]
▶ 彼が好きだ。

A : Ich habe für ihn viel übrig.
B : Ich habe für ihn nichts übrig.

　　A : 私は彼のこと好きだな。　B : 僕は嫌い。

★für j⁴ viel übrig haben … 〜がすごく好きだ、〜に大いに関心をもっている ≒ j⁴ gut leiden können（〜が好きだ；直訳は「よく我慢できる」）。

★für j⁴ etwas übrig haben … 〜が好きだ、〜に関心をもっている。

★für j⁴ nichts übrig haben … 〜に全然興味がない、〜が嫌いだ ≒ j⁴ nicht leiden können（〜が嫌いだ；直訳は「我慢できない」）。

359 Ich möchte eine gute Partie machen.
[イヒ メヒテ アイネ グーテ パルティー マヘン]
▶ 玉の輿にのりたい。

A : Sie hat eine gute Partie gemacht.
B : **Ich möchte** auch **eine gute Partie machen.**

　　A : 彼女、玉の輿にのったのよ。
　　B : 僕も逆玉にのりたい。

★eine gute Partie machen …玉の輿・逆玉にのる。直訳は「良縁を結ぶ」。

360 Du stehst ja unter dem Pantoffel.
[ドゥー シュテースト ヤー ウンター デム パントッフェル]
▶ 尻に敷かれてるね。

A : Ich muss schon nach Hause.
B : **Du stehst ja unter dem Pantoffel.**

　　A : もう帰らなくちゃ。
　　B : 奥さんの尻に敷かれてるからね。

★unter dem Pantoffel stehen …妻の尻に敷かれている。直訳は「スリッパの下にいる」。

★ほかに「女性が強い」という表現に、Seine Frau hat die Hosen an.（かかあ天下だ；直訳は「彼の女房はズボンをはいている」）、Haare auf den Zähnen haben（エネルギッシュで鼻っ柱が強い；直訳は「歯の上に髪の毛をもっている」）がある。後者は男性のように毛深いばかりでなく、歯にまで生えていると誇張している。

KAPITEL 7

361 Wie kann ich mit ihm warm werden?
[ヴィー カン イヒ ミット イーム ヴァルム ヴェルデン]
▶ 彼と親しくなるにはどうしたらいいかな？

A : Wie kann ich mit ihm warm werden?
B : Du kannst ihn zum Essen einladen.

　　A : 彼と親しくなるにはどうしたらいいかな？
　　B : ごちそうしてあげればいい。

★mit j³ warm werden … ～と親しくなる、うちとける。直訳は「暖かくなる」。

★j⁴ zu et³ einladen … ～を～に招待する。zum Essen einladenは「食事に誘う」だけでなく、「おごる」こと、または「作ってごちそうする」ことも入る。

362 Es war Liebe auf den ersten Blick.
[エス ヴァー リーベ アウフ デン エルステン ブリック]
▶ 一目ぼれだった。

A : Wie habt ihr euch kennen gelernt?
B : Beim Schifahren. Es war Liebe auf den ersten Blick.

　　A : 二人はどうやって知り合ったの？
　　B : スキーでね。一目ぼれだよ。

363 Ich möchte dich in die Arme schließen.
[イヒ メヒテ ディヒ イン ディー アルメ シュリーセン]
▶ 抱きしめたい。

A : Ohne dich fühle ich mich einsam.
B : Ich möchte dich am liebsten in die Arme schließen.

　　A : あなたがいなくてさみしい。
　　B : 僕だって君を抱きしめたい。

★sich⁴ 形容詞 fühlen … ～な気分だ。

★j⁴ in die Arme schließen … ～を腕の中に包む。schließenの代わりに nehmen も使う。

364 Wir sind ein Herz und eine Seele.
[ヴィーア ズィント アイン ヘルツ ウント アイネ ゼーレ]
▶ 一心同体だ。

A：Ihr habt beide noch immer Sterne in den Augen.
B：Ja, **wir sind ein Herz und eine Seele.**

　　A：君たち二人はいまだにラブラブだね。
　　B：うん、一心同体なの。

★Sterne in den Augen haben …熱々だ。直訳は「目の中に星をもっている」。＝ verliebt sein（ほれ込んでいる）。

★ein Herz und eine Seele sein …一心同体だ。直訳は「一つの心と一つの魂だ」。

365 Hast du schon mal einen Seitensprung gemacht?
[ハスト ドゥー ショーン マール アイネン ザイテンシュプルング ゲマハト]
▶ 浮気したことある？

A：**Hast du schon mal einen Seitensprung gemacht?**
B：Natürlich nicht.

　　A：浮気したことある？
　　B：もちろんないよ。

★einen Seitensprung machen …浮気する。直訳は「横飛びをする」。

366 Warum zeigst du mir die kalte Schulter?
[ヴァルム ツァイクスト ドゥー ミーア ディー カルテ シュルター]
▶ どうしてつれないの？

A：**Warum zeigst du mir die kalte Schulter?**
B：Darum.

　　A：どうしてつれないの？
　　B：だからよ。

★j³ die kalte Schulter zeigen …冷たくあしらう、すげない態度を示す。直訳は「冷たい肩を見せる」。

★darum（だから）だけでは答えになっていないが、答えるのが面倒だったり、聞かれた人も理由がよくわからなかったり、怒っていたり、考えれば当然わかるはずだと思うときなどに使われる。warum と darum で韻を踏んでいる。

KAPITEL 7

367 Ich möchte mir mein eigenes Nest bauen.
[イヒ メヒテ ミーア マイン アイゲネス ネスト バウエン]
▶ 独立しようと思うんだ。

A: Ich möchte mir mein eigenes Nest bauen.
B: Kann ich dann bei dir einziehen?

 A: 独立しようと思うんだ。
 B: だったら私もいっしょに住んでいい？

★sich³ sein eigenes Nest bauen …独立する、世帯をもつ。直訳は「自分の巣作りをする」。≒ eine Familie gründen（家庭を築く）。

★einziehen …入居する。

368 Mit dir habe ich das große Los gezogen.
[ミット ディーア ハーベ イヒ ダス グローセ ロース ゲツォーゲン]
▶ 君を選んでよかった。

A: Mit dir habe ich das große Los gezogen.
B: Ich bin auch mit dir glücklich.

 A: 君を選んでよかったよ。
 B: 私もあなたといっしょで幸せ。

★mit j³/et³ das große Los gezogen haben …〜を選んでよかった。直訳は「〜で大当たりのくじを引いた」。

369 Du mischst dich in meine Angelegenheiten zu sehr ein.
[ドゥー ミシュト ディヒ イン マイネ アンゲレーゲンハイテン ツー ゼーア アイン]
▶ 私のことに干渉しすぎよ。

A: Du mischst dich in meine Angelegenheiten zu sehr ein.
B: Ich liebe dich so sehr, dass ich dich nicht aus den Augen lassen kann.

 A: あなた、私のことに干渉しすぎよ。
 B: 愛してるから、君から目が離せないんだ。

★sich⁴ in et⁴ einmischen … 〜に口出しする。
★„so..., dass..." は「あまりにも〜で、〜なくらいだ」の意。
★4 格 nicht aus den Augen lassen … 〜から目を離さない。

148　KAPITEL 7

Kapitel 8

ビジネス フレーズ

ビジネスシーンで使えそうな表現や、
仕事にまつわるフレーズを集めました。
覚えておくと便利な、
丁寧なニュアンスの表現も入っています。

370 Schönen Feierabend!
[シェーネン ファイアーアーベント]
▶ **お疲れさま！**

A : **Schönen Feierabend!**
B : Bis morgen!

 A : お疲れさま！
 B : じゃあまた明日！

★Schönen Feierabend! …直訳は「すばらしいアフターファイブを」。職場での別れのことば。

★Bis morgen! …直訳は「明日まで」。bisを使った別れのことばにBis dann.(そのときまで)、Bis nachher.(またあとで)、Bis bald!(じゃ、またじきに)などがある。

371 Keine Ursache!
[カイネ ウアザッヘ]
▶ **どういたしまして。**

A : Sie haben sich für mich große Mühe gegeben. Danke sehr!
B : **Keine Ursache!**

 A : たいへんお世話になりました。どうもありがとうございます。
 B : どういたしまして。

★sich³ für j⁴ große Mühe geben …～のために大いに尽力する。

★Keine Ursache. …どういたしまして。直訳は「(お礼をおっしゃる) 理由はありませんよ」。Bitteより高尚なニュアンス。

372 Falsch verbunden.
[ファルシュ フェアブンデン]
▶ **かけ間違えました。**

A : Firma A, guten Tag!
B : Ist da nicht die Firma B? Oh, tut mir leid, dann bin ich **falsch verbunden.**

 A : こちらはA社でございます。
 B : B社さんではありませんか？ すみません、間違えました。

★電話がかかってきたら、ひとこと自分の名なり社名を名乗ればいい。

KAPITEL 8

373 Alles in Ordnung.
[アレス イン オルドゥヌング]
▶ 万事 OK です。

A : Wie geht es bei Ihrer Arbeit?
B : **Alles in Ordnung.**

　　A : 仕事はどうですか？
　　B : 万事順調です。

★Alles in Ordnung. は Es ist alles in Ordnung. や Alles ist in Ordnung. の省略。in Ordnung sein は「正常だ、OK だ」。直訳は「秩序の中にある」。

374 Sicher ist sicher.
[ズィヒャー イスト ズィヒャー]
▶ 念には念を入れて。

A : Bitte rufen Sie sie an, damit sie es nicht vergessen.
B : Ja, **sicher ist sicher.**

　　A : 彼らが忘れないように、電話してください。
　　B : はい、念には念を入れてですね。

★j⁴ anrufen … ～に電話する。

375 Hast du blaugemacht?
[ハスト ドゥー ブラウゲマハト]
▶ 仕事をサボったの？

A : Ich hatte keine Lust zu arbeiten und ging ins Café.
B : **Hast du blaugemacht?**

　　A : 働く気がしなくて喫茶店へ行ったよ。
　　B : 仕事をサボったの？

★blaumachen …仕事をサボる、怠ける。直訳は「青くする」。et⁴ blau machen は「～を青く塗る」。

KAPITEL 8

376 Ich würde gern wissen,
[イヒ ヴュルデ ゲルン ヴィッセン]
▶ 教えていただきたいのですが、

A : **Ich würde gern wissen,** warum das so ist.
B : Hören Sie gut zu. Es ist kompliziert.

　　A : なぜそうなのか、教えていただきたいんですけど。
　　B : よく聞いてください。ややこしいので。

★Ich würde gern wissen. …教えていただきたいのですが。接続法第２式を使った、婉曲で丁寧な表現。直訳は「私はぜひ知りたいのですが」。完了形で Ich hätte gern gewusst. と言うと、さらに丁寧なニュアンスになる。

377 Das ist ein Kinderspiel.
[ダス イスト アイン キンダーシュピール]
▶ お安いご用です。

A : Können Sie das gleich zusammenfassen?
B : **Das ist ein Kinderspiel.**

　　A : これすぐまとめてもらえますか？
　　B : お安いご用です。

★et⁴ zusammenfassen …～をまとめる、要約する。

★ein Kinderspiel sein …朝飯前のたやすいことだ。直訳は「子どもの遊びだ」。≒ Nichts leichter als das.（それよりも簡単なことは何もない）。

378 Das war mein Vorschlag.
[ダス ヴァー マイン フォアシュラーク]
▶ 提案は以上です。

A : **Das war mein Vorschlag.**
B : Ihre Idee ist an und für sich gut, aber sie ist schwer durchzuführen.

　　A : 以上が私の提案です。
　　B : あなたの意見はそれ自体としてはいいんですが、実行するのはたいへんですね。

★an und für sich …それ自体としては、本来。

★Sie ist schwer durchzuführen. …それはむずかしく実行されうる。„sein + zu 不定詞" で「～されることができる」。≒ Sie ist schwer durchführbar.

379 Ich bin im Bilde.
[イヒ ビン イム ビルデ]
▶ 心得ています。

A : Wissen Sie, dass Sie heute statt des Chefs die Sitzung leiten müssen?
B : Ja, **ich bin im Bilde.**

> A：今日、課長の代わりにあなたが会議の議長をすることになっているのは知ってますか？
> B：はい、心得ています。

★ (über et⁴) im Bilde sein … (〜について) 事情を心得ている。直訳は「イメージの中にいる、イメージできている」。Bilde の語尾 -e は昔のなごり。

380 Du hast kein Sitzfleisch.
[ドゥー ハスト カイン ズィッツフライシュ]
▶ 仕事に根気がないねえ。

A : Ich möchte einen anderen Beruf ergreifen.
B : Schon wieder? **Du hast kein Sitzfleisch.**

> A：転職したい。
> B：また？ 仕事に根気がないねえ。

★einen anderen Beruf ergreifen …ほかの職業に就く。
★kein (rechtes) Sitzfleisch haben …根気がない、(仕事に) しんぼうがない、じっとすわっていられない。直訳は「(ちゃんとした) 尻の肉をもたない」。

381 Ich arbeite wie ein Pferd.
[イヒ アルバイテ ヴィー アイン プフェルト]
▶ 馬車馬のごとく働いている。

A : Nennt man dich nicht „Faulpelz"?
B : Niemals. **Ich arbeite wie ein Pferd.**

> A：「怠け者」って言われない？
> B：一度も言われたことない。馬車馬のごとく働いてるから。

★wie ein Pferd arbeiten …直訳は「馬のように働く」。

KAPITEL 8

382 Sie sitzen fest im Sattel.
[ズィー ズィッツェン フェスト イム ザッテル]
▶ あなたは安泰です。

A : Heutzutage weiß man nie, wann man gefeuert wird.
B : **Sie sitzen fest im Sattel.**

 A : このご時世、いつリストラされるかわかったもんじゃありません。
 B : あなたは安泰ですよ。

★feuern …放り出す、クビにする ≒ kündigen (解雇する)。

★fest im Sattel sitzen …(地位などが) ゆるぎない、安泰だ。直訳は「しっかり鞍にすわっている」。

383 Sie sollten den Ton angeben.
[ズィー ゾルテン デン トーン アンゲーベン]
▶ あなたが仕切ってください。

A : Was wird in diesem Jahr mit der Fete unter den Kirschblüten?
B : Da **sollten Sie den Ton angeben.**

 A : 今年のお花見どうするんだろうか？
 B : だったらあなたが音頭取りしてくださいよ。

★die Fete unter den Kirschblüten …桜の花の下での宴。

★den Ton angeben …音頭取りをする、イニシアチブをとる。直訳は「(ラの) 音を出して指図する」。≒ den Takt angeben

384 Wir spielen mit offenen Karten.
[ヴィーア シュピーレン ミット オッフェネン カルテン]
▶ 公明正大にことを進めています。

A : Worüber verhandeln Sie hinter unseren Rücken?
B : Ach, **wir spielen mit offenen Karten.**

 A : 私たちに隠れて何をこそこそ交渉しているんですか？
 B : いいえ、私たちは公明正大にことを進めていますよ。

★über et⁴ verhandeln …～について交渉・談判する。

★hinter unseren Rücken …私たちの背後で。

★mit offenen Karten spielen …オープンに・公明正大にことを進める。直訳は「トランプを見せてプレイする」。

385 Wer ist Ihre rechte Hand?

[ヴェーア イスト イーレ レヒテ ハント]
▶ **あなたの右腕はだれですか？**

A : **Wer ist Ihre rechte Hand?**
B : Meine rechte Hand ist zweifellos Frau Steiner.

> A：あなたの右腕はだれですか？
> B：間違いなくシュタイナーさんですね。

★seine rechte Hand sein …右腕だ。直訳は「右手だ」。
★zweifellos …疑いの余地なく。

386 Sie ist in guten Händen.

[ズィー イスト イン グーテン ヘンデン]
▶ **信頼できる人の手にあります。**

A : Wer macht Ihre Arbeit weiter, während Sie in der Elternzeit sind?
B : Keine Sorge. **Sie ist in guten Händen.**

> A：産休の間、だれがあなたの仕事を引き継ぐんですか？
> B：だいじょうぶ。信頼できる人たちですよ。

★Elternzeit …産休と育児休暇。オーストリアでは Karenz(zeit) と言う。
★in guten Händen sein …信頼できる人の手にある、安心して任せられる。直訳は「いい手の中にある」。

387 Möchten Sie Ihren Weg machen?

[メヒテン ズィー イーレン ヴェーク マヘェン]
▶ **出世したいですか？**

A : **Möchten Sie Ihren Weg machen?**
B : Nein, mir sind Zeit und Zufriedenheit wichtiger als Geld und Karriere.

> A：出世したいですか？
> B：いいえ、私にとっては暇と満足感のほうが、お金や出世より大事です。

★seinen Weg machen …出世する ＝ Karriere machen
★棚ぼたで昇進した場合は die Treppe hinauffallen (思いがけなくそれまでよりもいい地位にありつく) という言い方もある。直訳は「階段を上に転ぶ」。

388 Das geht mir von der Hand.
[ダス ゲート ミーア フォン デア ハント]
▶ お手のものです。

A : Können Sie das Formular programmieren?
B : **Das geht mir von der Hand.**

A : この書式をプログラミングしてくれますか？
B : お手のものです。

★j³ (gut/leicht) von der Hand gehen … ～にとってお手のものだ、スラスラやってのける。直訳は「～の手から出る」。

389 Er hält große Stücke auf Sie.
[エア ヘルト グローセ シュテュッケ アウフ ズィー]
▶ 高く買われてるんですね。

A : Ich soll den Chef auf Dienstreise nach Amerika begleiten.
B : Ach so! **Er hält große Stücke auf Sie.**

A : 部長にアメリカ出張に同行するよう言われました。
B : わあ、高く買われてるんですね。

★große Stücke auf j⁴ halten … ～を高く買う、評価する。

390 Die Erfahrung spielt eine große Rolle.
[ディー エアファールング シュピールト アイネ グローセ ロレ]
▶ 経験がものを言います。

A : Was sind die Bedingungen für diese Stelle?
B : **Die Erfahrung spielt eine große Rolle.**

A : 今回の採用条件は何ですか？
B : 経験がものを言います。

★eine große Rolle spielen …重要だ。直訳は「大きな役を演じる」。≒ sehr wichtig sein (とても重要だ) ⇔ keine große Rolle spielen (たいして重要ではない)。

391 Jetzt sind wir über den Berg.
[イェット ズィント ヴィーア ユーバー デン ベルク]
▶ 危機は脱しました。

A : Haben Sie die Rezession überstanden?
B : Ja, **jetzt sind wir über den Berg.**

> A : おたくの会社は景気後退を克服しましたか？
> B : はい、やっと危機は脱しました。

★Rezession …景気後退。この結果 schlechte Konjunktur (不景気) になる。

★über den Berg sein … (危機・病気・仕事などの) 峠を越える。直訳は「山の向こう側にいる」。ただし über alle Berge sein は「はるか遠くへ逃げてしまった」の意。

392 Der Plan ist ins Wasser gefallen.
[デア プラーン イスト インス ヴァッサー ゲファレン]
▶ 計画は水泡に帰した。

A : Wir haben kein Budget mehr.
B : Oje. **Der Plan ist** damit **ins Wasser gefallen.**

> A : 予算はもうありません。
> B : がっかりです。計画は水泡に帰しました。

★Der Plan ist ins Wasser gefallen. …直訳は「計画は水の中に落ちた」。

393 Der Versuch ging in die Hose.
[デア フェアズーフ ギング イン ディー ホーゼ]
▶ 試みは失敗に終わった。

A : Sie wollten eine neue Methode probieren, nicht wahr?
B : **Der Versuch ging** leider **in die Hose.**

> A : 新しい方法を試すって言ってましたよね。
> B : 試みは残念ながら失敗に終わりました。

★in die Hose gehen …失敗に終わる。直訳は「ズボンに帰する」。

394 Sie gingen weg wie warme Semmeln.
[ズィー ギンゲン ヴェク ヴィー ヴァルメ ゼンメルン]
▶ 飛ぶように売れました。

A : Wie verkaufen sich die neuen Produkte?
B : **Sie gingen weg wie warme Semmeln.**

　　A：新製品の売れ行きはどうですか？
　　B：飛ぶように売れましたよ。

★sich⁴ verkaufen …売れる。

★weggehen wie warme Semmeln …飛ぶように売れる。直訳は「暖かいパンのように売れる」。単数形 Semmel は南部の丸いパン。weggehen の代わりに abgehen でも OK。

395 Man kann eine ruhige Kugel schieben.
[マン カン アイネ ルーイゲ クーゲル シーベン]
▶ 楽な仕事をすることができる。

A : Arbeiten Sie freiwillig am Wochenende?
B : Ja, da ist wenig los und **man kann eine ruhige Kugel schieben.**

　　A：好き好んで週末に働くんですか？
　　B：ええ、週末は暇で、仕事が楽なんです。

★freiwillig …自発的に。

★wenig los sein …人出が少なくて静かだ；あまり問題が起こらない ⇔ viel los sein（人出が多くて大賑わいだ；たくさん問題が起こる）。

★eine ruhige Kugel schieben (können) …楽な仕事をする（ことができる）。直訳は「静かな玉を転がす（ことができる）」。

396 Wir ziehen gern am gleichen Strang.
[ヴィーア ツィーエン ゲルン アム グライヒェン シュトラング]
▶ **仲よく協力して働いている。**

A : Sie haben nette Kollegen.
B : Ja, **wir ziehen gern am gleichen Strang.**

  A : あなたの同僚はいい人たちですね。
  B : はい、皆喜んで協力して働いています。

★am gleichen Strang ziehen …協力して働く、同じ目標を目指す。直訳は「同じ綱を引っ張る」。

397 Wie könnte ich einen Reibach machen?
[ヴィー ケンテ イヒ アイネン ライバッハ マヘェン]
▶ **どうやったらボロもうけできるかなあ。**

A : Ach, **wie könnte ich einen Reibach machen?**
B : Denke lieber an etwas Anständiges.

  A : あーあ、どうやったらボロもうけできるかなあ。
  B : まっとうなことを考えなよ。

★einen Reibach machen …ボロもうけする。Reibach は多くは不当なやり方でのボロもうけ。

★an 4 格 denken … 〜のことを考える。

★Anständiges は形容詞 anständig（まともな、正直な）の名詞化。

398 Machen Sie es bitte kurz und schmerzlos!
[マヘェン ズィー エス ビッテ クルツ ウント シュメルツロース]
▶ **手短にお願いします。**

A : Soll ich von der Besprechung berichten?
B : **Machen Sie es bitte kurz und schmerzlos!**

  A : 会議の報告をしましょうか？
  B : 手短に頼みます。

★kurz und schmerzlos …（いやなことを）手短に。直訳は「短く痛みなく」。

399 Ich bin das fünfte Rad am Wagen.
[イヒ ビン ダス フュンフテ ラート アム ヴァーゲン]
▶ 私は役に立ちません。

A: In diesem Projekt **bin ich das fünfte Rad am Wagen.**
B: In der Durchführung kennen Sie sich aber gut aus.

> A: この企画で私は無用の長物です。
> B: でもあなたは実行にたけているんですよ。

★das fünfte Rad am Wagen sein … 無用の長物だ、おじゃま虫だ。直訳は「車の5番目の車輪だ」。

★sich⁴ in et³ auskennen … 〜に精通している、勝手がわかっている。

400 Wir haben noch mehrere Eisen im Feuer.
[ヴィーア ハーベン ノッホ メーレレ アイゼン イム フォイアー]
▶ まだいくつか策があります。

A: Das Geschäft mit der Firma wird nichts.
B: Macht nichts. **Wir haben noch mehrere Eisen im Feuer.**

> A: あの会社との取引はだめになってしまった。
> B: だいじょうぶですよ。まだいくつか策がありますから。

★mehrere Eisen im Feuer haben … いくつかの策・手がある。直訳は「いくつかの鉄を火の中にもっている」。mehrere Eisen の代わりに ein zweites Eisen と言うと「別の策・手がある；2番目の鉄を火の中にもっている」の意。

401 Ich muss mich tüchtig ins Zeug legen.
[イヒ ムス ミヒ テュヒティヒ インス ツォイク レーゲン]
▶ 全力でとりかからなきゃ。

A: Der Auftraggeber möchte es am Montag fertig haben.
B: Da **muss ich mich tüchtig ins Zeug legen.**

> A: 依頼主は月曜までに仕上げてほしいそうです。
> B: じゃあ、全力でとりかからなくちゃ。

★sich⁴ tüchtig (für 4格) ins Zeug legen … (〜のために) 精一杯尽力する、一生懸命やる、全力で仕事にかかる。tüchtig の代わりに mächtig や ordentlich とも言う。tüchtig ins Zeug gehen もほぼ同じ。

402 Ich habe alle Hände voll zu tun.
[イヒ ハーベ アレ ヘンデ フォル ツー トゥーン]
▶ 大忙しです。

A : Am Monatsende **habe ich alle Hände voll zu tun.**
B : Ich weiß auch nicht, wo mir der Kopf steht.

> A：月末は大忙しです。
> B：私も忙しくててんやわんやです。

★alle Hände voll zu tun haben …大忙しだ。直訳は「すべての手いっぱいにすることがある」。

★Ich weiß nicht, wo mir der Kopf steht. …（忙しくて）てんやわんやだ。直訳は「私の頭がどこにあるかわからない」。

403 Ich kann nicht auf zwei Hochzeiten tanzen.
[イヒ カン ニヒト アウフ ツヴァイ ホッホツァイテン タンツェン]
▶ 同時に２つのことには参加できない。

A : Können Sie mich morgen zum Empfang begleiten?
B : Morgen bin ich auf Dienstreise in Kyushu. **Ich kann nicht auf zwei Hochzeiten tanzen.**

> A：明日のレセプションに同行してもらえませんか？
> B：明日は出張で九州なので、同時に両方は無理です。

★nicht auf zwei Hochzeiten tanzen (können) …同時に２つのことをすることはできない。直訳は「２つの結婚式で踊れない」。肯定文でも使える。

404 Ich kann ihm nicht das Wasser reichen.
[イヒ カン イーム ニヒト ダス ヴァッサー ライヒェン]
▶ 私は彼の足元にも及ばない。

A : Der letzte Leiter war sehr tüchtig.
B : Ja, **ich kann ihm nicht das Wasser reichen.**

> A：前のリーダーはすごく有能でしたね。
> B：はい、私は彼の足元にも及びません。

★j³ nicht das Wasser reichen können …〜の足元にも及ばない。直訳は「〜に水を差し出すことはできない」。

KAPITEL 8

405 Sie sind das beste Pferd im Stall.
[ズィー ズィント ダス ベステ プフェルト イム シュタル]
▶ あなたは一番優秀な働き手です。

A : Alle von meinem Büro haben mich im Krankenhaus besucht.
B : Weil **Sie das beste Pferd im Stall sind.**

 A : 私の入院中、職場の人が全員見舞いに来てくれたんですよ。
 B : 一番優秀な働き手ですからね。

★j⁴ im Krankenhaus besuchen … 〜を病院に見舞う。

★das beste Pferd im Stall sein … (ある分野・グループで) 一番優秀な働き手だ。直訳は「馬小屋で一番いい馬だ」。

406 Können Sie für ihn in die Bresche springen?
[ケネン ズィー フュア イーン イン ディー ブレシェ シュプリンゲン]
▶ 彼の代わりを務めてくれませんか？

A : Herr Zauner ist krank. **Können Sie für ihn in die Bresche springen?**
B : Was soll ich denn machen?

 A : ツァウナーさんが病気なんです。彼の代わりを務めてくれませんか？
 B : 何をすればいいんですか？

★für j⁴ in die Bresche springen … 〜の代理を務めて助ける。直訳は「〜のために割れ目に飛び込む」。

407 Ich weiß mich an den Mann zu bringen.
[イヒ ヴァイス ミヒ アン デン マン ツー ブリンゲン]
▶ 自己 PR は完璧です。

A : Sie sollten bei dem Vorstellungsgespräch nicht schüchtern sein.
B : Keine Sorge. **Ich weiß mich an den Mann zu bringen.**

 A : 就職面接で引っ込み思案はだめですよ。
 B : 心配ご無用です。自分を売り込むすべを心得ていますから。

★4格 an den Mann bringen … (商品などを) 売りつける、(知識などを) 売り込む。直訳は「男のところにもっていく」。語源は die Tochter an den Mann bringen (娘をめとらせる)。

★„wissen + zu 不定詞" は「〜するすべを心得ている」。

408 Sie haben sich die Sporen verdient, nicht wahr?

[ズィー ハーベン ズィヒ ディー シュポーレン フェアディーント ニヒト ヴァー]

▶ 手柄を立てたんですって？

A : Sie haben sich die Sporen verdient, nicht wahr?
B : Nein, das ist eine Prämie zum 20-jährigen Arbeitsjubiläum.

　　A : 手柄を立てたんですって？
　　B : いいえ、勤続20年の賞与ですよ。

★sich³ die Sporen verdienen …手柄を立てる。直訳は「拍車（騎士の象徴）を得る」。単数形は Sporn。

★Prämie …特別報酬。ボーナスは Bonus と言うほか、冬のボーナスは Weihnachtsgeld（クリスマス手当）、夏のボーナスは Urlaubsgeld（休暇手当；ちゃんと休暇をとることが条件）とも言う。

409 Die Diskussion ist an einen toten Punkt gekommen.

[ディー ディスクスィオーン イスト アン アイネン トーテン プンクト ゲコメン]

▶ 議論は行き詰まった。

A : Die Besprechung dauerte fünf Stunden.
B : Ja, die Diskussion ist an einen toten Punkt gekommen.

　　A : 会議は5時間もかかりましたね。
　　B : はい、ディスカッションが行き詰まったんです。

★an einen toten Punkt kommen …壁にぶちあたる、行き詰まる。直訳は「死点に来る」。蒸気機関は弾みがないと、回転せずに死点で止まってしまう。

KAPITEL 8　163

410 Kannst du deine Stelle an den Nagel hängen?

[カンスト ドゥー ダイネ シュテレ アン デン ナーゲル ヘンゲン]

▶ 仕事を放棄できるの？

A: Ich möchte eine Kreuzfahrt um die Erde machen.
B: **Kannst du deine Stelle** einfach so **an den Nagel hängen**?

　A：世界一周クルージングがしたい。
　B：今のポストを放棄するなんてできるの？

★Kreuzfahrt …豪華客船でのクルージング。語源は「十字軍遠征」。

★et⁴ an den Nagel hängen … (仕事や学業を)途中で放棄する。直訳は「釘に掛ける」。

411 Ich würde dir den Stuhl vor die Tür setzen.

[イヒ ヴュルデ ディーア デン シュトゥール フォア ディー テューア ゼッツェン]

▶ 僕だったらクビにするよ。

A: Heute habe ich im Büro nichts gemacht.
B: **Ich würde dir den Stuhl vor die Tür setzen.**

　A：今日会社で何もしなかったんだ。
　B：僕だったらお払い箱にするけどな。

★j³ den Stuhl vor die Tür setzen … 〜を追い出す、クビにする。直訳は「いすをドアの前に置く」。

412 Bitte schieben Sie die Arbeit nicht auf die lange Bank!

[ビッテ シーベン ズィー ディー アルバイト ニヒト アウフ ディー ランゲ バンク]

▶ その仕事は先延ばししないでください。

A: Übermorgen mache ich das weiter.
B: **Bitte schieben Sie die Arbeit nicht auf die lange Bank!**

　A：続きはあさってやります。
　B：その仕事は先延ばししないでください。

★weitermachen …続ける。　★et⁴ auf die lange Bank schieben … (仕事や決断を)先延ばしにする。直訳は「長いベンチの上にずらす」。すぐに必要な裁判書類は近くにある「短いベンチ」の上に、急がない書類は「長いベンチ」に置いた。

Kapitel 9
応用・慣用句 フレーズ

ドイツの文化・習慣に由来した、
興味深い慣用句やことわざを学んでみよう。
ちょっとこなれた言い回しを身につければ、
相手から一目置かれること間違いなし？

413 Selber Schuld.
[ゼルバー シュルト]
▶ **自業自得。**

A : Ich bin noch müde.
B : **Selber Schuld.** Weil du gestern bis tief in die Nacht getrunken hast.

 A : まだ眠い。
 B : 自業自得。昨日あんなに夜遅くまで飲むからだよ。

★selber Schuld …直訳は「自らの責任」。

414 Gesagt, getan.
[ゲザークト ゲターン]
▶ **有言実行。**

A : Ab morgen rauche ich nicht mehr.
B : **Gesagt, getan.**

 A : 明日からタバコやめる。
 B : 言ったら実行してね。

★ab morgen …明日から（期限を定めずにずっと）。前置詞 von はあとに bis... を伴って期限つきが多い。例: von morgen bis Freitag（明日から金曜まで）。

★Gesagt, getan. …直訳は「それは言われて、行われる」。

415 Eile mit Weile.
[アイレ ミット ヴァイレ]
▶ **急がばまわれ。**

A : Das Studium dauert zu lange. Ich möchte gleich Geld verdienen und eine Familie gründen.
B : Das Leben ist lange genug. Man sagt ja, **Eile mit Weile.**

 A : 大学は長くかかりすぎる。私はすぐに稼いで、家庭を築きたいな。
 B : 人生はじゅうぶん長いよ。急がばまわれって言うし。

★Eile mit Weile. …急がばまわれ。直訳は「ゆっくり時間をかけて急げ」。同名のボードゲームもある。

416 Klein, aber oho.
[クライン アーバー オホー]
▶ 小さくてもすごい。

A : Mein neues Handy hat so viele Funktionen.
B : **Klein, aber oho.**

　　A : 私の新しい携帯は機能がこんなにたくさんついてるんだ。
　　B : 小さいけれど、すごいんだね。

★Klein, aber oho. …直訳は「小さいけれど、ほおー」。

417 Hals über Kopf
[ハルツ ユーバー コプフ]
▶ 大あわてで／あたふたと

A : Warst das nicht du, die unserem Hund auf den Schwanz getreten ist?
B : Ja, ich bin **Hals über Kopf** davongelaufen.

　　A : うちの犬のしっぽ踏んだの、君じゃなかった？
　　B : そう、大あわてで逃げ出した。

★unserem Hund auf den Schwanz …私たちの犬において（3格）そのしっぽの上に。しっぽは体の一部なので「うちの犬の」は2格で表さない。

★Hals über Kopf …大あわてで、あたふたと。直訳は「頭の上に首をもって」。

418 die letzte Instanz
[ディー レツテ インスタンツ]
▶ 鶴の一声

A : Hat dir deine Frau erlaubt, heute Abend trinken zu gehen?
B : **Die letzte Instanz** sagt „nein".

　　A : 奥さんは今晩飲みに行くの許してくれた？
　　B : 鶴の一声は「ダメ」だって。

★die letzte Instanz …直訳は「最終決定機関、最高裁判所」。

419 Ende gut, alles gut.
[エンデ グート アレス グート]
▶ **終わりよければ、すべてよし。**

A : Erst im Elfmeterschießen haben wir das Spiel gewonnen.
B : **Ende gut, alles gut.**

> A：PK 戦でようやく試合に勝ったよ。
> B：終わりよければ、すべてよし。

420 von heute auf morgen
[フォン ホイテ アウフ モルゲン]
▶ **一朝一夕に**

A : Vor dem China-Urlaub solltest du Chinesisch lernen.
B : Sprachen kann man nicht **von heute auf morgen** erlernen.

> A：中国旅行の前に中国語習えよ。
> B：言語なんて一朝一夕にマスターできるものじゃないよ。

★von heute auf morgen …一朝一夕に、短期間に。直訳は「今日から明日にかけて」。
★erlernen …習得する、マスターする。lernen は「習う、学習する」。verlernen は「習ったのに忘れる」。

421 das Ende vom Lied
[ダス エンデ フォム リート]
▶ **あげくの果て／期待はずれの結末**

A : Deine Tochter war schwach in Mathematik, nicht wahr?
B : Ja. **Das Ende vom Lied** war, dass sie deswegen sitzen geblieben ist.

> A：おたくのお嬢さんは数学が弱かったよね。
> B：そう、あげくの果ては、それで留年しちゃったの。

★das Ende vom Lied …とどのつまり、期待はずれの結末。直訳は「その歌のラスト」。ドイツ民謡は悲しい結末が多いらしい。

422 Du hast eine Gänsehaut.
[ドゥー ハスト アイネ ゲンゼハウト]
▶ 鳥肌が立ってるよ。

A : **Du hast** ja **eine Gänsehaut.** Ist dir kalt?
B : Nein, ich habe vor Furcht Gänsehaut bekommen.

　　A : 鳥肌が立ってるじゃないか。寒いの?
　　B : ううん、怖くて鳥肌が立ったの。

★eine Gänsehaut haben …鳥肌が立っている。「鳥肌が立つ」は eine Gänsehaut bekommen (直訳は「ガチョウの肌になる」)。
★Ist es dir kalt? の es は、文頭以外は省略できる。
★Furcht …恐怖心。Angst (不安、怖さ) よりも恐れの対象がはっきりしている。

423 Spitzt du die Ohren?
[シュピッツト ドゥー ディー オーレン]
▶ 聞き耳を立ててるの?

A : Das Ehepaar von nebenan streitet sich wieder.
B : **Spitzt du** wieder **die Ohren?**

　　A : お隣がまた夫婦げんかしてるよ。
　　B : また聞き耳を立ててるの?

★Das Ehepaar von nebenan …隣の夫婦。
★die Ohren spitzen …耳をそば立てる、聞き耳を立てる。直訳は「耳をとがらす」。犬などをイメージしている。

424 Kleinvieh macht auch Mist.
[クラインフィー マハト アウホ ミスト]
▶ ちりも積もれば山となる。

A : In diesem Monat konnte ich nur 30 Euro sparen.
B : **Kleinvieh macht auch Mist.**

　　A : 今月は 30 ユーロしか貯められなかった。
　　B : ちりも積もれば山となる。

★Kleinvieh macht auch Mist. …直訳は「小動物もフンをする」。

KAPITEL 9

425 Ein Mann, ein Wort.
[アイン マン アイン ヴォルト]
▶ 武士に二言なし。

A: Meinst du das ernst?
B: **Ein Mann, ein Wort.**

 A: 本気で言ってるの？
 B: 武士に二言なし。

★Ein Mann, ein Wort. …武士に二言なし。直訳は「一人の男は一言」。

426 Leichter gesagt als getan.
[ライヒター ゲザークト アルツ ゲターン]
▶ 言うは易し、行うは難し。

A: Treib jeden Tag Sport!
B: **Leichter gesagt als getan.**

 A: 毎日運動しなよ。
 B: 言うは易し、行うは難し。

★Leichter gesagt als getan. …直訳は「やるより言うほうが簡単」。

427 Andere Länder, andere Sitten.
[アンデレ レンダー アンデレ ズィッテン]
▶ 所変われば、品変わる。

A: Dort soll man bei der Trauer weiß tragen.
B: Aha, **andere Länder, andere Sitten.**

 A: そこでは喪服が白いんだって。
 B: へえ、所変われば、品変わる。

★Andere Länder, andere Sitten. …所変われば、品変わる。直訳は「別の国では別の習慣」。

428 Das ist gehupft wie gesprungen.
[ダス イスト ゲフプフト ヴィー ゲシュプルンゲン]
▶ **結局同じことだ／五十歩百歩だ。**

A : Soll ich dich anrufen oder soll ich dir eine Mail schicken?
B : **Das ist gehupft wie gesprungen.**

 A：電話しようか、それともメール書こうか？
 B：結局同じことだ、どっちでもいいよ。

★Das ist gehupft wie gesprungen. …五十歩百歩だ、結局同じことだ。直訳は「それは跳んだりはねたりだ」。

429 Ich drücke ein Auge zu.
[イヒ ドゥリュッケ アイン アウゲ ツー]
▶ **大目に見てあげるよ。**

A : Eigentlich habe ich keine Einladung bekommen.
B : **Ich drücke ein Auge zu** und lasse dich herein.

 A：実は私は招待状もらっていないんだけど。
 B：大目に見て、中に入れてあげる。

★eigentlich …本来、そもそも、やっぱり。
★ein Auge zudrücken …直訳は「片目をつぶる」。

430 Du lebst hinter dem Mond.
[ドゥー レープスト ヒンター デム モーント]
▶ **時代遅れだね。**

A : Ich habe noch kein Handy.
B : **Du lebst** ja **hinter dem Mond**.

 A：私まだ携帯持ってないの。
 B：時代遅れだねえ。

★hinter dem Mond leben …時代遅れだ。直訳は「月の裏側で暮らしている」。

KAPITEL 9 171

431 Du hast ein dickes Fell.
[ドゥー ハスト アイン ディッケス フェル]
▶ ずぶといね。

A : Hast du gesehen, wie mich der Chef angebrüllt hat?
B : Ja, trotzdem ließt du dich nicht aus der Fassung bringen. **Du hast ein dickes Fell.**

> A : ボスが私を怒鳴りつけるの見た？
> B : うん、それでも君はうろたえなかったね。神経がずぶといな。

★j⁴ aus der Fassung bringen …うろたえさせる。Fassung の代わりに Ruhe を使っても同じ意味。

★ein dickes Fell haben …つらの皮が厚い、鈍感だ。直訳は「厚い毛皮をまとっている」。

432 Das liegt in der Familie.
[ダス リークト イン デア ファミーリエ]
▶ うちの遺伝なんだ。

A : Du bist rührselig.
B : **Das liegt in der Familie.**

> A : 君は涙もろいね。
> B : うちの遺伝なの。

★in der Familie liegen …一家の（遺伝的）特徴だ。病気の遺伝でなくても、冗談ぽく使える。直訳は「一族の中に存在する」。

433 Es ist das alte Lied.
[エス イスト ダス アルテ リート]
▶ 同じことのくり返しだ。

A : Wie war der Urlaub?
B : **Es ist das alte Lied.** Kaum hat er angefangen, war er im Nu vorbei.

> A : 休暇はどうだった？
> B : 毎回同じことのくり返し。始まったと思ったらあっという間に終わっちゃった。

★Es ist das alte Lied. …直訳は「それは古い歌だ」。

★Kaum hat er angefangen …始まるや否や。

★im Nu …一瞬のうちに、たちまち。

434 Ein Wort gab das andere.
[アイン ヴォルト ガープ ダス アンデレ]
▶ 売りことばに買いことば。

A : Was war der Anlass der Streitigkeiten?
B : Ich weiß es nicht mehr. **Ein Wort gab das andere.**

> A：けんかの原因は何？
> B：もうわかんない。売りことばに買いことば。

★Anlass …きっかけ、原因。
★ein Wort gab das andere …売りことばに買いことば。直訳は「一つのことばが別のことばを生む」。

435 Die Welt ist doch klein.
[ディー ヴェルト イスト ドホ クライン]
▶ 世間は狭い。

A : Ich habe in Paris zufällig meinen Kollegen getroffen.
B : **Die Welt ist doch klein.**

> A：パリで偶然同僚にバッタリ会ったよ。
> B：世間は広いようで狭いね。

★j⁴ treffen … 〜に遭遇する。

436 Du gerätst in Teufels Küche.
[ドゥー ゲレーツスト イン トイフェルス キュヒェ]
▶ 困ったことになるよ。

A : Ach, ich habe meinen Führerschein zu Hause vergessen.
B : Dann kann ich ja fahren. Wenn man dich erwischt, **gerätst du in Teufels Küche.**

> A：あっ、運転免許をうちに忘れてきた。
> B：だったら私が運転するよ。つかまったら困ったことになるから。

★in Teufels Küche geraten …困ったことになる。直訳は「悪魔の台所に入り込む」。中世には悪魔の台所は魔女などの仕事場であり、地獄を意味することもあった。なお、geraten は kommen と言い換えても同じ。

KAPITEL 9

437 Du bist ein zerstreuter Professor.
[ドゥー ビスト アイン ツェアシュトロイター プロフェッソーア]
▶ ぼんやりしてるね。

A: Gestern habe ich im Zug meinen Schirm liegen lassen und heute habe ich irgendwo den Hut verloren.
B: **Du bist** ja **ein zerstreuter Professor.**

> A: 昨日は電車に傘を置き忘れたし、今日はどこかで帽子をなくしちゃった。
> B: まるで注意散漫な教授みたい。

★et^4 liegen lassen …置き忘れる。旧正書法では1語の分離動詞 liegenlassen。

★ein zerstreuter Professor sein …ぼんやりしている、心ここにあらず。直訳は「(ほかのことを考えていて) 気の散った教授だ」。

438 Er kommt unter die Räder.
[エア コムト ウンター ディー レーダー]
▶ 落ちぶれる。

A: Hat ihn seine Frau endgültig verlassen?
B: Ja, seitdem trinkt er ununterbrochen. Wenn er weiter so lebt, **kommt er** wirklich **unter die Räder.**

> A: 彼は奥さんにとうとう捨てられたの？
> B: ああ、以来彼は飲んだくれてるよ。ずっとこんな生活をしたら、ほんとうに落ちぶれてしまうぞ。

★unter die Räder kommen …落ちぶれる、堕落する。直訳は「車輪にひかれる」。ヘルマン・ヘッセの小説のタイトル「車輪の下」は „Unterm Rad"。

439 Er macht keinen Finger krumm.
[エア マハト カイネン フィンガー クルム]
▶ 何もしない。

A: Hilft dir dein Mann bei der Hausarbeit?
B: Nein, **er macht keinen Finger krumm.**

> A: だんなさんは家事を手伝ってくれるの？
> B: 全然、縦の物を横にもしない。

★keinen Finger krumm machen …何もしない、縦の物を横にもしない。直訳は「指1本曲げない」。machen の代わりに regen または rühren (動かす) を使っても同じ意味になる。

★似ているが、krumme Finger machen や lange Finger machen (長い指を使う) は「盗みを働く」という意味なので注意。

440 Ich habe einen Schnitzer gemacht.

[イヒ ハーベ アイネン シュニッツアー ゲマハト]

▶ ミスしちゃった。

A: Du warst am Wochenende in Himeji, nicht wahr?
B: Ja, aber **ich habe einen Schnitzer gemacht.** Ich habe nämlich einen falschen Zug erwischt, der erst in Okayama hielt.

 A: 週末に姫路に行ったんでしょ？
 B: うん、でもへまをやらかしたんだ。乗る電車を間違えて、岡山まで止まらなかったんだよ。

★einen (groben) Schnitzer machen … (すごい)ミスをする。直訳は「荒削りをする」。

★erst in Okayama …やっと岡山に。erstと時のセットもよく使う。例: erst heute (やっと今日)、erst am Montag (月曜にやっと)。

441 Darüber ist längst Gras gewachsen.

[ダリューバー イスト レングスト グラース ゲヴァクセン]

▶ そんなことはとっくに忘れられた。

A: Der wurde der Korruption verdächtigt, nicht wahr?
B: **Darüber ist längst Gras gewachsen.**

 A: あの人には汚職の嫌疑がかかったんだよね。
 B: そんなことはもうとっくに忘れられたよ。

★j⁴ et² verdächtigen … ～に～の疑いをかける。

★Darüber ist (längst) Gras gewachsen. …そんなことは(もうとっくに)忘れられた。直訳は「その上には(とっくに)草がはえた」。

442 Es geht drunter und drüber.

[エス ゲート ドゥルンター ウント ドゥリューバー]

▶ 大騒ぎだ／大混乱だ。

A: Kann ich dich morgen besuchen?
B: Nein, lass das. Wir tapezieren gerade das Wohnzimmer neu und da **geht es drunter und drüber.**

 A: 明日君のうちに行っていい？
 B: だめ、やめて。今居間の壁紙を張り替えていて、大混乱だから。

★Es geht drunter und drüber. …直訳は「下に上に行く」。

KAPITEL 9

443 Du gießt Öl ins Feuer.
[ドゥー ギースト エール インス フォイアー]
▶ 火に油を注ぐ。

A: Herr und Frau Schuster streiten sich. Ich konnte die Frau ja noch nie leiden.
B: Du solltest dich jetzt nicht einmischen, sonst **gießt du Öl ins Feuer.**

　A: シュースター夫妻が夫婦げんかしてる。彼女にはいつも我慢ならなかったんだ。
　B: 今口を出すなよ。さもないと火に油を注ぐことになる。

★j⁴ nicht leiden können … 〜が嫌いだ ⇔ j⁴ gut leiden können（〜が好きだ）。
★sich⁴ einmischen …介入する、口出しする。
★sonst …さもないと〈副詞〉。
★Öl ins Feuer gießen …火に油を注ぐ。

444 Du bist ins Fettnäpfchen getreten.
[ドゥー ビスト インス フェットネプフヒェン ゲトレーテン]
▶ 失礼なことを言っちゃったね。

A: Monika hat sich von ihrem Mann scheiden lassen.
B: Was? Das habe ich nicht gewusst und sie gefragt, wie es ihm geht.
A: **Da bist du ja ins Fettnäpfchen getreten.**

　A: モニカはご主人と離婚したのよ。
　B: ええ？ それ知らなかったから、ご主人は元気かって聞いちゃったよ。
　A: それは失礼なこと言っちゃったね。

★sich⁴ von j³ scheiden lassen … 〜と離婚する。
★ins Fettnäpfchen treten …直訳は「油壺に足を突っ込む」。昔農家には、雨や雪のときに靴に油をつけるよう、玄関に油壺があった。うっかり壺を倒すと当然ひんしゅくを買った。≒ sich³ den Mund verbrennen（口をすべらせて災いをまねく；⇒ 457 ）。

445 Das geht in einem Aufwasch.
[ダス ゲート イン アイネム アウフヴァッシュ]
▶ ついでに片づけられる。

A : Ich gehe jetzt in die Stadt einkaufen.
B : Kannst du mir dann auch eine Pizza holen? **Das geht in einem Aufwasch.**

　　A：町に買い物に行ってくるね。
　　B：だったら僕にピザ買ってきてくれる？ ついでに片づくでしょ。

★Das geht in einem Aufwasch. …（手間ひま節約して）いっぺんに片づけられる。直訳は「1回の食器洗いですむ」。Das ist ein Aufwasch. とも言う。

446 Ich habe die Zeit totgeschlagen.
[イヒ ハーベ ディー ツァイト トートゲシュラーゲン]
▶ 何もしないで時間をつぶした。

A : Heute war im Büro nichts los und **ich habe die Zeit totgeschlagen.**
B : Wirst du dafür bezahlt?

　　A：今日会社ではすることなくて、時間を無為につぶしたよ。
　　B：それで給料もらってるの？

★die Zeit totschlagen …時間を無為に過ごす、暇をつぶす。直訳は「時間をたたき殺す」。

447 Du hast eine lange Leitung.
[ドゥー ハスト アイネ ランゲ ライトゥング]
▶ のみ込みが遅いねえ。

A : … Ach, ich hab's endlich.
B : **Du hast** aber **eine lange Leitung.**

　　A：…ああ、やっとわかった。
　　B：それにしても、のみ込みが遅いねえ。

★eine lange Leitung haben …のみ込みが遅い。直訳は「長い導線をもっている、蛍光灯だ」。⇔ eine kurze Leitung haben（のみ込みが早い；直訳は「短い導線をもっている」）。

448 Sitzt du auf dem Trockenen?
[ズィッツト ドゥー アウフ デム トロッケネン]
▶ お金に困ってるの？

A : Kannst du mir bitte 50 Euro leihen?
B : **Sitzt du** wieder **auf dem Trockenen?**

 A : 50ユーロ貸してくれる？
 B : またお金に困ってるの？

★auf dem Trockenen sitzen …金に困っている。直訳は「乾いたところにすわっている」。昔はお金を流動物とみなしていた。≒ in der Tinte sitzen (⇒ 159)、pleite sein (⇒ 295)。

449 wie Sardinen in der Büchse
[ヴィー ザルディーネン イン デア ビュクセ]
▶ ぎゅうぎゅう詰めで

A : In der Stoßzeit stehen wir im Bus **wie Sardinen in der Büchse**.
B : Wir standen in der U-Bahn auch wie die Heringe.

 A : ラッシュアワーにはバスはぎゅうぎゅう詰めだよ。
 B : 地下鉄もすし詰めだった。

★Stoßzeit …ラッシュアワー。「通勤ラッシュ」は Berufsverkehr.

★wie Sardinen in der Büchse …すし詰めの、ぎゅうぎゅうで。直訳は「缶詰の中のイワシのように」。

★(zusammengedrängt) wie die Heringe …ニシンのように折り重なって。

450 Ich habe auch davon läuten hören.
[イヒ ハーベ アウホ ダフォン ロイテン ヘーレン]
▶ 私も小耳にはさんだよ。

A : Vor dem Bahnhof soll ein neues Einkaufszentrum gebaut werden.
B : **Ich habe auch davon läuten hören.**

 A : 駅前に新しいショッピングセンターができるんだって。
 B : 僕もそのことは小耳にはさんだよ。

★von et^3 läuten hören …小耳にはさむ、風の便りに聞く（信憑性はうすい）。直訳は「そのことで合図の鐘が鳴っているのを聞く」。

451 Da ist Hopfen und Malz verloren.
[ダー イスト ホプフェン ウント マルツ フェアローレン]
▶ **むだ骨だった。**

A : Die Daten hatte ich versehentlich gelöscht. Danach versuchte ich sie wiederherzustellen, aber **da ist Hopfen und Malz verloren.**
B : Hast du keine Datensicherung?

> A：データをうっかり削除してしまったんだ。そのあと復元しようと試みたけど、むだ骨だった。
> B：バックアップは取っておかなかったの？

★versehentlich …うっかり、間違えて。

★Da ist Hopfen und Malz verloren. …むだ骨だった、救いようがない。直訳は「そこではホップも麦芽も失われた状態にある」〈状態受動〉。昔は各家庭でビールを醸造していて、ビール作りに失敗するということは、原料のホップと麦芽をむだにすることを意味した。主語が Hopfen と Malz なのに動詞が単数形 ist なのは、両方で1セットとみなしているため。

452 Da liegt der Hase im Pfeffer.
[ダー リークト デア ハーゼ イム プフェファー]
▶ **それが問題なんだ。**

A : Ich möchte zwar zu den Wahlen gehen, aber es gibt keine Partei, der ich meine Stimme geben möchte.
B : **Da liegt der Hase im Pfeffer.**

> A：選挙には行きたいんだけど、投票したい政党がなくて。
> B：そう、そこが問題なんだよね。

★Wahlen …複数形で「選挙」。

★Da liegt der Hase im Pfeffer. …問題・難点・原因はそこだ。直訳は「そこにウサギがコショウの中にいる」。おそらく「コショウの中のウサギはもう料理されていて救えない＝問題は解決しがたい」という意味だと思われる。

KAPITEL 9

453 Die Zeit vergeht wie im Fluge.
[ディー ツァイト フェアゲート ヴィー イム フルーゲ]
▶ 時の経つのは早い。

A: Es sind sechs Jahre her, seit ich hier arbeite.
B: **Die Zeit vergeht wie im Fluge.**

> A: 私が入社してからもう6年よ。
> B: 時の経つのは早い。

★Die Zeit vergeht wie im Fluge. …あっという間に時が経つ、光陰矢のごとし。直訳は「時が飛ぶように過ぎる」。wie im Fluge の代わりに (sehr) schnell とも言う。また省略して、Die Zeit vergeht! でも同じ意味。

454 Gleich und gleich gesellt sich gern.
[グライヒ ウント グライヒ ゲゼルト ズィヒ ゲルン]
▶ 類は友を呼ぶ。

A: Dort ist eine Runde von lauter Geschiedenen.
B: **Gleich und gleich gesellt sich gern.**

> A: あそこにバツイチばかりが集まってるよ。
> B: 類は友を呼ぶ。

★lauter …～ばかり。

★geschieden …離別した〈形容詞〉。Geschiedenen は形容詞の名詞化で「離婚した人たち」。「未婚だ」は ledig、「既婚だ」は verheiratet.

★Gleich und gleich gesellt sich gern. …直訳は「同じものは集いたがる」。

455 Das ist ein Fass ohne Boden.
[ダス イスト アイン ファス オーネ ボーデン]
▶ 悪循環だ。

A: Ich habe einen neuen Virenscanner installiert.
B: Es kommen aber immer neue Viren. **Das ist ein Fass ohne Boden.**

> A: 新しいウイルススキャナーをインストールしたよ。
> B: でもどんどん新しいウイルスが出回る。いたちごっこだ。

★Viren は Virus (ウイルス) の複数形。

★ein Fass ohne Boden …永遠のくり返し、いたちごっこ、悪循環。直訳は「底のない樽」。

456 Das war ein Schlag ins Wasser.
[ダス ヴァー アイン シュラーク インス ヴァッサー]
▶ **むだだった。**

A: Du suchst ja eine Stelle. Hast du eine gefunden?
B: Ich habe mich am Arbeitsamt, auf dem Stellenmarkt und im Internet beworben, aber **das war ein Schlag in Wasser.**

> A: 仕事をさがしてるんだよね。みつかった？
> B: ハローワークと職業仲介所とインターネットで応募したけど、徒労に終わった。

★ein Schlag ins Wasser sein …徒労に終わる、むだだ。直訳は「水をたたくようなものだ」。≒ umsonst sein, vergebens sein, futsch sein（⇒ 473 ）。

457 Du hast dir den Mund verbrannt.
[ドゥー ハスト ディーア デン ムント フェアブラント]
▶ **失言しちゃったね。**

A: Ich habe bei Frau Heinemann die Unfähigkeit der jungen Lehrer kritisiert und bin nachher darauf gekommen, dass ihr Sohn Lehrer geworden ist.
B: Oje, **du hast dir den Mund verbrannt.**

> A: ハイネマン夫人に、最近の教師の無能さを批判したあとで、彼女の息子さんが教師になったのを思い出したの。
> B: わあ、失言しちゃったね。

★auf et⁴ kommen … ～に思い至る。 ★sich³ den Mund verbrennen …口をすべらせて災いをまねく。直訳は「口をやけどする」（⇒ 444 ）。

458 Du sitzt wohl auf den Ohren?
[ドゥー ズィッツト ヴォール アウフ デン オーレン]
▶ **何も聞こえないんだね。**

A: Hast du was gesagt?
B: **Du sitzt wohl auf den Ohren?**

> A: 何か言った？
> B: 何も聞こえないんだね。

★auf den Ohren sitzen …何も聞いていない。直訳は「耳の上にすわっている」。

459 ohne mit der Wimper zu zucken
[オーネ ミット デア ヴィンパー ツー ツッケン]
▶ 平然と

A : Ist deine Tochter in anderen Umständen?
B : Ja, und so etwas sagt sie mir **ohne mit der Wimper zu zucken.**

   A : お嬢さんおめでたなんだって？
   B : ああ、そんなことを娘は眉ひとつ動かさずに平然と言うんだ。

★in anderen Umständen sein …おめでただ ＝ guter Hoffnung sein (⇒ 338)。
★ohne mit der Wimper zu zucken …眉ひとつ動かさずに、平然と、ためらわずに。
直訳は「まつげすらぴくつかせずに」。

460 Das liegt ja vor deiner Nase.
[ダス リークト ヤー フォア ダイナー ナーゼ]
▶ 目の前にあるよ。

A : Wo habe ich mein Portemonnaie hingelegt?
B : **Das liegt ja vor deiner Nase.**

   A : お財布はどこに置いたっけ？
   B : 目の前にあるじゃないか。

★vor der Nase liegen …目の前にある。直訳は「鼻の前にある」。動詞は sein もよく使われる。

461 Dort steht es schwarz auf weiß.
[ドルト シュテート エス シュヴァルツ アウフ ヴァイス]
▶ そこにちゃんと書いてある。

A : Darf man mit einem Hund in das Café?
B : Ja, **dort steht es schwarz auf weiß.**

   A : その喫茶店には犬も連れて行っていいの？
   B : うん、そこにちゃんと書いてある。

★schwarz auf weiß stehen …直訳は「白地に黒で書いてある」。ドイツ語圏では飲食店も交通機関もたいてい犬を連れて行ける。

462 Du hast deine Finger überall drin.

[ドゥー ハスト ダイネ フィンガー ユーバーアル ドゥリン]

▶ 何にでも手を出すんだね。

A : Ich leite eine private Nachhilfeschule und mache auch kleine handwerkliche Arbeiten. Nun will ich auch ein Geschäft eröffnen.
B : **Du hast deine Finger überall drin.**

> A : 僕は塾の経営のかたわら、小さな大工仕事も引き受けてる。それ以外にも商売を始めようと思うんだ。
> B : 何にでも手を出すんだね。

★seine Finger überall drin haben …直訳は「指をあちこちに突っ込む」≒ seine Nase in alles stecken（何にでも鼻を突っ込む、口出しする; ⇒ 225 ）。

463 Ich will keine Extrawurst gebraten haben.

[イヒ ヴィル カイネ エクストラヴルスト ゲブラーテン ハーベン]

▶ 特別扱いはしてもらいたくない。

A : Wenn du kommst, sollten wir auch Sekt kühlen.
B : **Ich will keine Extrawurst gebraten haben.**

> A : あなたが来るのなら、ゼクトも冷やしておかなきゃ。
> B : 僕だけ特別扱いは無用だよ。

★Sekt …ドイツ特有の発泡ワイン、安値のシャンペン。

★eine Extrawurst gebraten haben wollen …えこひいき・特別待遇を望む。直訳は「上等なソーセージを焼いてもらいたがる」。

464 Da wirfst du Perlen vor die Säue.

[ダー ヴィルフスト ドゥー ペルレン フォア ディー ゾイエ]

▶ 豚に真珠。

A : Soll ich für den Besuch Konzertkarten besorgen?
B : **Da wirfst du Perlen vor die Säue.** Sie haben für Musik nichts übrig.

> A : お客さんのためにコンサートのチケットを買いましょうか？
> B : それは豚に真珠だよ。彼らは音楽はからっきしだめだから。

★Perlen vor die Säue werfen …直訳は「豚の前に真珠を投げる」。
★für et[4] nichts übrig haben … 〜は嫌いだ、興味がない。

465 Du schlägst zwei Fliegen mit einer Klappe.
[ドゥー シュレークスト ツヴァイ フリーゲン ミット アイナー クラッペ]
▶ 一石二鳥だ。

A : Der Bus zum Bahnhof ist immer gestopft voll.
B : Geh zu Fuß zum Bahnhof. Da kannst du dir den Fahrschein sparen und bekommst Bewegung. **Du schlägst zwei Fliegen mit einer Klappe.**

 A : 駅行きのバスはいつもぎゅうぎゅう詰めなの。
 B : 歩いて駅に行きなよ。そうすれば切符代節約できて、運動にもなるから、一石二鳥だよ。

★zwei Fliegen mit einer Klappe schlagen …直訳は「2匹のハエを1回で打ち落とす」。

466 Wir haben den Bock zum Gärtner gemacht.
[ヴィーア ハーベン デン ボック ツム ゲルトナー ゲマハト]
▶ 猫にかつおぶしの番をさせる。

A : Ich bin für den Betriebsausflug als Kassierer eingeteilt worden.
B : Was? **Wir haben den Bock zum Gärtner gemacht!?** Du gehst ja mit Geld so schlampig um.

 A : 僕が社員旅行の会計係になったよ。
 B : 何？ 猫にかつおぶしの番をさせるの!? あなたお金の管理にだらしないのに。

★Betriebsausflug …日帰りも含む社員旅行、慰安旅行。

★den Bock zum Gärtner machen …猫にかつおぶしの番をさせる。直訳は「雄ヤギを庭師にする」。

467 Sagst du mir so etwas ins Gesicht?
[ザークスト ドゥー ミーア ゾー エトヴァス インス ゲズィヒト]
▶ 言いにくいことを平気で言うね。

A: Für deine Leistung verdienst du zu viel.
B: **Sagst du mir so etwas ins Gesicht?**

 A：あなたは仕事のわりに稼ぎすぎだよね。
 B：言いにくいことを平気で言うんだね。

★Leistung …業績。
★j³ etwas ins Gesicht sagen … ～に面と向かって言いにくいことを言う。直訳は「顔に向かって言う」。

468 Ich habe alles auf eine Karte gesetzt.
[イヒ ハーベ アレス アウフ アイネ カルテ ゲゼツト]
▶ いちかばちかやってみた。

A: Dass du die nächste „Base" gestohlen hast, hat die Mannschaft gerettet.
B: **Ich habe alles auf eine Karte gesetzt.**

 A：あなたの盗塁がチームを救ったね。
 B：いちかばちかやってみたんだ。

★die nächste Base stehlen …盗塁する。英語の stolen base, base stealing のドイツ語訳だが、野球（用語）はドイツではまだ一般的には知られていない。
★alles auf eine Karte setzen …いちかばちかやってみる。直訳は「すべてを 1 枚のカード（トランプ）に賭ける」。

469 Du solltest dein eigenes Nest nicht beschmutzen.
[ドゥー ゾルテスト ダイン アイゲネス ネスト ニヒト ベシュムッツェン]
▶ 身内の悪口は言わないほうがいい。

A: Meine Schwiegermutter kann nicht kochen.
B: **Du solltest dein eigenes Nest nicht beschmutzen.**

 A：女房のお母さんは料理がへたなんだ。
 B：身内の悪口は言わないほうがいいよ。

★sein eigenes Nest beschmutzen …直訳は「自分の巣を汚す」。das eigene Nest とも言う。

KAPITEL 9

470 Ich habe ein Gedächtnis wie ein Sieb.
[イヒ ハーベ アイン ゲデヒトニス ヴィー アイン ズィープ]
▶ 忘れっぽいの。

A: Du hast ein gutes Gedächtnis.
B: Nein, ich habe ein Gedächtnis wie ein Sieb.

　　A：君記憶力いいよね。
　　B：ううん、ざる頭なの。

★ein Gedächtnis wie ein Sieb haben …直訳は「ざるのような記憶力だ」。ein schlechtes Gedächtnis haben（記憶力が悪い）より強い。

471 Er ist mir ein Dorn im Auge.
[エア イスト ミーア アイン ドルン イム アウゲ]
▶ 目の上のたんこぶだ。

A: Klaus hat dich heftig kritisiert.
B: Ja, er ist mir ein Dorn im Auge.

　　A：クラウスが君を激しく批判していたね。
　　B：うん、彼は目の上のたんこぶなんだ。

★j³ ein Dorn im Auge sein … 〜にとって目の上のたんこぶだ。直訳は「目の中のトゲだ」。

472 Du lügst, dass sich die Balken biegen.
[ドゥー リュークスト ダス ズィヒ ディー バルケン ビーゲン]
▶ まっかなうそをつくんだね。

A: Ich kann auf der Welt am besten kochen.
B: Du lügst, dass sich die Balken biegen.

　　A：僕は世界一料理がうまいんだ。
　　B：まっかなうそをつくんだね。

★lügen, dass sich die Balken biegen …直訳は「梁（はり）が曲がるうそをつく」。

473 Die ganze Arbeit war für die Katz.

CHECK✓

[ディー ガンツェ アルバイト ヴァー フューア ディー カッツ]

▶ 苦労が全部むだだった。

A : Ich habe die ganze Wohnung staubgesaugt und geputzt, dann ist Bello mit schmutzigen Pfoten zurückgekommen.

B : O je, **die ganze Arbeit war für die Katz.**

　A：家中を掃除機かけて拭いたあと、ベロが汚い足で帰ってきたの。
　B：それはそれは、むだ骨だったね。

★Bello はよくある犬の呼び名。日本で言えば「ポチ」。

★Pfote …動物の足、特にその先端だけをさすこともある。「前足」は Vorderpfote、「後ろ足」は Hinterpfote と言う。

★für die Katz(e) sein …役に立たない、むだだ（⇒ 456）。直訳は「猫向けだ」。猫は残飯しかもらえなかったことから。

474 Ich bin mit Pauken und Trompeten durchgefallen.

CHECK✓

[イヒ ビン ミット パウケン ウント トロムペーテン ドゥルヒゲファレン]

▶（試験に）ものの見事に落ちる。

A : Du hast ja zum zweiten Mal das Staatsexamen gemacht, nicht wahr?

B : **Ich bin mit Pauken und Trompeten durchgefallen.**

　A：また国家試験に挑戦したんだよね？
　B：ものの見事に落ちた。

★小さな試験は Klassenarbeit〈女性〉や外来語の Test〈男性〉、期末試験レベルの重要度になると Prüfung〈女性〉や Examen〈中性〉、学位取得には Rigorosum〈中性〉などがある。

★mit Pauken und Trompeten durchfallen …鳴り物入りで不合格になる。直訳は「ティンパニーとトランペットとともに落ちる」。

475 Du wirfst schnell die Flinte ins Korn.

[ドゥー ヴィルフスト シュネル ディー フリンテ インス コルン]

▶ **すぐにあきらめるんだね。**

A : Ich trete aus dem Fitnesscenter aus.
B : **Du** hast keine Ausdauer und **wirfst schnell die Flinte ins Korn.**

 A：私フィットネスクラブやめる。
 B：君は忍耐力がなくて、すぐにあきらめるんだね。

★aus et³ austreten …～から脱会・脱退する。
★die Flinte ins Korn werfen …かぶとをぬぐ、くじけてあきらめる。直訳は「鉄砲を穀物畑の中に投げる」。負けた兵士は速く逃げられるように銃を捨てた。

476 Er will immer die erste Geige spielen.

[エア ヴィル イマー ディー エルステ ガイゲ シュピーレン]

▶ **いつも牛耳りたがる。**

A : **Er will immer die erste Geige spielen** und drängt sich überall vor.
B : Ich möchte lieber die zweite Geige spielen.

 A：彼はいつも牛耳りたがって、どこにでもでしゃばるよ。
 B：僕は脇役のほうがいいな。

★die erste Geige spielen …指導的な役割を演じる。直訳は「第一バイオリンを弾く」。
★sich⁴ vordrängen …強引に前に出る、でしゃばる。
★die zweite Geige spielen …従属的な役割を演じる。直訳は「第二バイオリンを弾く」。

477 Du hast die Rechnung ohne den Wirt gemacht.

[ドゥー ハスト ディー レヒヌング オーネ デン ヴィルト ゲマハト]

▶ **当てがはずれちゃったね。**

A : Das Auto, mit dem ich auf Urlaub fahren wollte, benutzt mein Bruder.
B : **Du hast die Rechnung ohne den Wirt gemacht.**

 A：休暇に乗って行こうと思っていた車、兄貴が使うんだって。
 B：取らぬタヌキの皮算用をしたね。

★die Rechnung ohne den Wirt machen …取らぬタヌキの皮算用、見込み違いをする。直訳は「レストラン・旅館のオーナー抜きで計算する」。

478 Ich lasse mir nicht in die Karten sehen.

[イヒ ラッセ ミーア ニヒト イン ディー カルテン ゼーエン]

▶ 手のうちは明かさない。

A : Wie hast du ihn überredet?
B : **Ich lasse mir nicht in die Karten sehen.**

　　A : どうやって彼を説得したの？
　　B : 手のうちは明かさないよ。

★sich³ nicht in die Karten sehen lassen …手のうちを明かさない。直訳は「カードをのぞかせない」。sehen の代わりに、北部では gucken, 南部では schauen とも言う。

479 Die beiden vertragen sich wie Hund und Katze.

[ディー バイデン フェアトラーゲン ズィヒ ヴィー フント ウント カッツェ]

▶ あの二人は犬猿の仲だ。

A : Hast du schon die Sitzordnung der Party?
B : Ja, hier.
A : Was!? Martin neben Konrad? **Die beiden vertragen sich wie Hund und Katze.**

　　A : パーティーの座席表できた？
　　B : うん、これだよ。
　　A : 何!? マルティンがコンラートの隣り？ あの二人犬猿の仲よ。

★sich⁴ wie Hund und Katze vertragen …犬猿の仲だ。直訳は「犬と猫の仲だ」。wie Hund und Katze (zusammen) leben (犬猿の仲で暮らす・同居する) という使い方もある。

KAPITEL 9

480 Das ist ein Tropfen auf den heißen Stein.
[ダス イスト アイン トロプフェン アウフ デン ハイセン シュタイン]
▶ 焼け石に水だ。

A : Wir konnten nicht viele Spenden sammeln. **Das ist ein Tropfen auf den heißen Stein.**
B : Aber man sagt, wer den Pfennig nicht ehrt, ist des Talers nicht wert.

 A : 寄付金あんまり集められなかった。これじゃ焼け石に水だよ。
 B : でも、小事をないがしろにしては大事は成就しないって言うし。

★ein Tropfen auf den heißen Stein …焼け石に水。直訳は「熱い石に一滴」。

★Wer den Pfennig nicht ehrt, ist des Talers nicht wert. …一銭を笑う者は一銭に泣く。直訳は「プフェニヒ銭を敬わない人は、ターラー銀貨の値打ちなし」。今日では Euro と Cent に変えたバリエーションもあるらしい。

481 Ich habe die Katze aus dem Sack gelassen.
[イヒ ハーベ ディー カッツェ アウス デム ザック ゲラッセン]
▶ 秘密をばらしてしまった。

A : Gestern hast du beschwipst gestanden, dass du vorhast, deine erste Liebe zu heiraten.
B : Was!? Dann **habe ich die Katze aus dem Sack gelassen.**

 A : 君、昨日酔っぱらって、初恋の人と結婚するつもりだって白状してたよ。
 B : ええっ!? それじゃあ、つい秘密をもらしちゃったんだ。

★die erste Liebe …初恋、初恋の人（男にも女にも使える）≒ die Jugendliebe 若いころの恋、若いころの恋人。

★die Katze aus dem Sack lassen … (うっかり) 秘密をもらす、(つい) 本当のことをあかす。直訳は「猫を袋から出す」。袋に入った猫をウサギだと偽って売るという話から。

482 Er ist gesund wie ein Fisch im Wasser. CHECK✓

[エア イスト ゲズント ヴィー アイン フィッシュ イム ヴァッサー]

▶ 水を得た魚のように元気だ。

A : Wie geht's deinem Großvater? Er liegt im Krankenhaus, nicht wahr?
B : **Er ist** schon wieder **gesund wie ein Fisch im Wasser** und ist aus dem Krankenhaus entlassen worden.

　　A : おじいさんの容態はどう？ 入院してるんでしょ？
　　B : また水を得た魚のように健康になって、退院したよ。

★gesund wie ein Fisch im Wasser sein …ぴんぴんしている。直訳は「水の中の魚のように健康だ」。gesundの代わりにmunter（元気だ）も使える。日本語のように、自分に合った環境を得て、生き生きと活躍する様子のたとえではないので注意。

483 Sie haben uns Sand in die Augen gestreut. CHECK✓

[ズィー ハーベン ウンス ザント イン ディー アウゲン ゲシュトロイト]

▶ だまされた。

A : Das Haus, das ihr gekauft habt, soll lauter Mängel haben.
B : Ja, **sie haben uns Sand in die Augen gestreut**.

　　A : おたくの買った家は欠陥だらけね。
　　B : そうなんだ、だまされたんだよ。

★j³ Sand in die Augen streuen … 〜の目をごまかす、だます。直訳は「〜の目に砂をまく」。これがローマ時代の剣闘士（Gladiator）の手法だった。

KAPITEL 9

484 Du findest überall ein Haar in der Suppe.

[ドゥー フィンデスト ユーバーアル アイン ハール イン デア ズッペ]

▶ 何にでも文句を言うんだね。

A: Im Restaurant A schmeckt es nicht, B ist zu teuer und C ist zu laut.
B: **Du findest überall ein Haar in der Suppe.**

 A: レストランAはまずくて、Bは高くて、Cはうるさいよ。
 B: 何にでも文句を言うんだね。

★ein Haar in der Suppe finden …あらさがしをする、欠点をみつける。直訳は「スープの中に髪の毛1本みつける」。⇔ kein Haar in der Suppe finden (文句のつけようがない)。

485 Weil du meinen Rat in den Wind geschlagen hast.

[ヴァイル ドゥー マイネン ラート イン デン ヴィント ゲシュラーゲン ハスト]

▶ 助言を聞かなかったからね。

A: Wir waren mit dem Hotel sehr unzufrieden.
B: **Weil du meinen Rat in den Wind geschlagen hast.**

 A: 不満だらけのホテルだった。
 B: 僕の助言を聞かなかったからね。

★et⁴ in den Wind schlagen … (助言・警告などを) 聞き流す。直訳は「〜を風の中にたたき込む」。

486 Einer schiebt dem anderen die Schuld in die Schuhe.

[アイナー シープト デム アンデレン ディー シュルト イン ディー シューエ]

▶ みんな罪をなすりつけあっている。

A: Wer hat in der Klasse Geld gestohlen?
B: Keiner will es gewesen sein. **Einer schiebt dem anderen die Schuld in die Schuhe.**

　A: クラスでだれがお金を盗んだの？
　B: だれも自分じゃないって言って、罪をなすりつけあっているんだ。

★Keiner will …だれも〜でないと主張する。だれも〜だと主張しない。この wollen は主語の人の主張。

★j³ die Schuld [Verantwortung] in die Schuhe schieben … 〜に罪 [責任] をなすりつける。直訳は「罪 [責任] を〜の靴の中に押し込む」。

487 Ich habe mir die Rosinen aus dem Kuchen gepickt.

[イヒ ハーベ ミーア ディー ロズィーネン アウス デム クーヘン ゲピックト]

▶ いいとこ取りしちゃった。

A: Sind keine leichten Aufgaben mehr übrig?
B: Nein, **ich habe mir** bereits **die Rosinen aus dem Kuchen gepickt.**

　A: 簡単な仕事はもう残ってないの？
　B: うん、もう私がいいとこ取りしちゃった。

★sich³ die Rosinen aus dem Kuchen picken …いいとこ取りをしてしまう。直訳は「ケーキの中からレーズンを選んで食べる」。

INDEX ドイツ語索引

A

abschätzen:
　Das lässt sich noch nicht abschätzen. 81
Ach: mit Ach und Krach 47
Acht:
　Lass sie außer Acht. 89
Achtung: Alle Achtung! 37
ähnlich:
　Das sieht dir ähnlich. 73
ahnnen:
　Ich habe es geahnt. 70
Ahnung: Keine Ahnung. 8
Allerdings. 3
angebunden: Er war kurz angebunden. 47
angehen: Mich geht das nichts an. 75
Angelegenheiten: Du mischt dich in meine Angelegenheiten zu sehr ein. 148
Angst: Keine Angst! 102
ankommen:
　Es kommt auf dich an. 73
　Es kommt darauf an. 70
Apfel: Ich beiße in den sauren Apfel. 80
Arm: Ich möchte dich in die Arme schließen. 146
auffallen: Das ist mir aufgefallen. 22
Aufwasch: Das geht in einem Aufwasch. 177
Auge:
　Der macht dir schöne Augen. 137
　Du bist mit einem blauen Auge davongekommen. 113
　Du hast große Augen gemacht. 52
　Ich drücke ein Auge zu. 171
　Können wir unter vier Augen sprechen? 30
　Meine Augen waren größer als der Magen. 129
Ausdruck: Das ist gar kein Ausdruck. 73
ausgehen: Ich möchte nicht leer ausgehen. 79
ausgeschlossen: Das ist nicht ausgeschlossen. 70
ausgezeichnet 64
ausmachen: Wenn es dir nichts ausmacht. 79

B

Bank: Bitte schieben Sie die Arbeit nicht auf die lange Bank! 164
Bein:
　Du bist anscheinend mit dem linken Bein aufgestanden. 61
　Wir müssen die Beine unter die Arme nehmen. 131
Beispiel:
　Was zum Beispiel? 18
Beneidenswert! 35
Berg:
　Halte mit deiner Meinung nicht hinter dem Berg! 113
　Jetzt sind wir über den Berg. 157
beschwipst:
　Ich bin beschwipst. 121
best: Halte mich nicht zum besten! 90
betreffen:
　Was mich betrifft, 68
betrunken:
　Ich bin nicht betrunken! 125
Bild: Ich bin im Bilde. 153
bisschen: Ein bisschen. 7
bitten:
　Ich bitte dich darum. 88
Blatt: Nimm doch kein Blatt vor den Mund! 111
blau: Hast du blaugemacht? 151
Blume: Sag es mir nicht durch die Blume. 110
Bock:
　Ich habe einen Bock geschossen. 52
　Wir haben den Bock zum Gärtner gemacht. 184
böse: Sei mir nicht böse! 90
Bresche:
　Können Sie für ihn in die Bresche springen? 162
Buckel:
　Die kann mir den Buckel 'runterrutschen. 57

D

dabei: Es bleibt dabei. 16
dagegen: Dagegen lässt sichnichts machen. 74
Damm: Ich bin wieder auf dem Damm. 29
Daumen: Ich drücke dir den Daumen. 108
denken:
　Ich denke, 65
　Ich denke immer an dich. 139
Denkste! 6
Denkzettel: Gib ihm einen Denkzettel! 89
Dickkopf: Der Dickkopf! 38
doch: Komm doch mal! 86
Dorn: Er ist mir ein Dorn im Auge. 186
dran: Wer ist dran? 119
drei: Tu nicht so, als ob du nicht bis drei zählen könntest. 100
drunter: Es geht drunter und drüber. 175
Dunkel: Ich tappe auch im Dunkeln. 78

E

Eben! 5
egal: Das ist mir egal. 69
eifersüchtig:
　Bist du eifersüchtig? 134
eilen: Eile mit Weile. 166
einbilden:
　Das bildest du dir ein. 75
einleuchten: Deine Aussage leuchtet mir ein. 26
einfallen:
　Es fällt mir gerade ein. 26
Einverstanden. 2

INDEX 195

Eisen:
   Wir haben noch mehrere
     Eisen im Feuer. 160
Ende:
   das Ende vom Lied 168
   Ende gut, alles gut. 168
Entschuldigen Sie bitte! 17
enttäuschen: Ich bin ent-
   täuscht. 41
erleichtert: Da bin ich aber
   erleichtert. 49
Ernst: Ist das dein Ernst? 20
erst: Erst die Arbeit, dann
   das Vergnügen. 128
erwarten: Das habe ich nicht
   erwartet. 51
Extrawurst:
   Ich will keine Extrawurst
     gebraten haben. 183

F

Fall:
   Auf jeden Fall. 66
   Auf keinen Fall. 66
Familie:
   Das liegt in der Familie. 172
Fass:
   Das ist ein Fass ohne
     Boden. 180
   Das schlägt dem Fass
     den Boden aus. 60
Fassung: Ich habe ihn aus
   der Fassung gebracht. 58
Faust: Sie passen wie die
   Faust aufs Auge. 82
Fehler: Durch Fehler wird
   man klug. 108
fehlen: Das fehlt gerade
   noch. 45
Feierabend:
   Schönen Feierabend! 150
Fell:
   Du hast ein dickes Fell. 172
Fettnäpfchen: Du bist ins Fett-
   näpfchen getreten. 176
Finger:
   Da verbrennst du dir die
     Finger. 94
   Du hast deine Finger
     überall drin. 183
   Er macht keinen Finger
     krumm. 174
   Lass deine Finger von
     ihm. 136
Fisch: Er ist gesund wie ein
   Fisch im Wasser. 191
fix: Ich bin fix und fertig. 49
Fliege:
   Du schlägst zwei Fliegen
     mit einer Klappe. 184
Flinte: Du wirfst die Flinte
   ins Korn. 188
Flitterwochen: Sie sind in den
   Flitterwochen. 139
Flügel:
   Du solltest nicht die
     Flügel hängen lassen. 111
Frage: Das kommt nicht in
   Frage. 77
fragen:
   wenn ich fragen darf? 22
Frau: Möchtest du meine
   Frau werden? 140
Frechheit: eine Frechheit 38
fremd: Ihr Freund soll fremd
   gegangen sein. 142
Freude:
   Geteilte Freude ist
     doppelte Freude. 127
   Mit Freuden. 8
freuen: Du hattest dich ja so
   sehr darauf gefreut. 131
Freund: Können wir gute
   Freunde bleiben? 141
fünf: Man soll fünf gerade
   sein lassen. 92

G

Gänsehaut: Du hast eine
   Gänsehaut. 169
Ganz meinerseits. 8
Gedächtnis:
   Ich habe ein Gedächtnis
     wie ein Sieb. 186
Gedanke:
   Wer hat dich auf den
     Gedanken gebracht? 32
gefallen:
   Du solltest dir nicht alles
     gefallen lassen. 112
   Kannst du mir einen
     Gefallen tun? 92
Gegenteil: im Gegenteil 13
gehen:
   Das geht nicht. 67
   Es geht. 10
   Gehen wir essen? 118
   Geht schon. Passt
     schon. 71
   Worum geht's? 11
Geige: Er will immer die
   erste Geige spielen. 188
Geld: Das Geld dafür ist
   zum Fenster hinausge-
   worfen. 130
Gelegenheit:
   Fass die Gelegenheit
     beim Schopf! 109
Genau! 3
genieren:
   Ich geniere mich. 42
gering: Ich zweifle nicht im
   Geringsten daran. 81
geschehen:
   Geschieht dir recht. 43
Gesicht:
   Du machst ein Gesicht
     wie sieben Tage
     Regenwetter. 62
   Sagst du mir so etwas
     ins Gesicht? 185
   Warum machst du ein
     langes Gesicht? 109
gestehen: Ich habe dir etwas
   zu gestehen. 142
geben: Das gibt's nicht! 42
Gift: Darauf kannst du Gift
   nehmen. 78
glauben:
   Du musst daran glauben.
     90
   Ich glaube, 65
   Kaum zu glauben. 41
   Nicht zu glauben! 42
gleich: Gleich und gleichge-
   sellt sich gern. 180
gleichfalls:
   Danke, gleichfalls. 12
Glocke: So etwas sollst du
   nicht an die große Glocke
   hängen. 99
Glück gehabt. 39
glücklich: Kannst du mich
   glücklich machen? 140
Glückwunsch: Herzlichen
   Glückwunsch! 116
Gott:
   Gott sei Dank! 40
   Um Gottes willen! 15

Gras: Darüber ist längst Gras gewachsen. 175
Groschen: Endlich ist der Groschen gefallen. 27
Gruß: Viele Grüße an deine Familie! 26
gucken: Guck mal! 11
gut:
   Du hast gut reden. 44
   Gute Besserung! 103
   Guten Appetit! 117
Güte: Meine Güte! 37

H

Haar:
   Du findest überall ein Haar in der Suppe. 192
   Lass dir darüber keine grauen Haare wachsen! 112
   Mir stehen die Haare zu Berge. 56
haben: Ich hab's. 9
Hals: Hals über Kopf 167
Hand:
   Das geht mir von der Hand. 156
   Wer ist Ihre rechte Hand? 155
   Ich habe alle Hände voll zu tun. 161
   Sie ist in guten Händen. 155
Hase: Da liegt der Hase im Pfeffer. 179
Haube: Ich komme bald unter die Haube. 143
Häuschen: Du bist ganz aus dem Häuschen. 56
heiraten: Willst du mich heiraten? 136
Heiratsantrag: Wie lautete dein Heiratsantrag? 135
heißen: das heißt 14
helfen: Kannst du mir bitte helfen? 91
Herz:
   Du kannst mir dein Herz ausschütten. 109
   Du sprichst mir aus dem Herzen. 29
   Fass dir ein Herz! 105
   Ich habe dich ins Herz geschlossen. 144
   Ich habe es mir zu Herzen genommen. 82
   Wir sind ein Herz und eine Seele. 147
heute: von heute auf morgen 168
Himmel: Ich bin wie im siebten Himmel. 53
hoch:
   Das war mir zu hoch. 75
   Wenn es hoch kommt. 72
Hochzeiten:
   Ich kann nicht auf zwei Hochzeiten tanzen. 161
Hof:
   Er macht dir den Hof. 137
Hoffentlich. 4
Hoffnung: Sie ist in guter Hoffnung. 137
Holzweg: Du bist auf dem Holzweg. 74
Honig:
   Du erreichst nichts. 87
Hopfen: Da ist Hopfen und Malz verloren. 179
hören: Hörst du mir zu? 24
Hose: Der Versuch ging in die Hose. 157
Hund:
   Die beiden vertragen sich wie Hund und Katze. 189
   Schlafende Hunde soll man nicht wecken. 94
Hunger: Ich habe großen Hunger. 122
hupfen: Das ist gehupft wie gesprungen. 171

I

Idee: Ich habe eine gute Idee. 76
in: Solche sind in. 119
Instanz: die letzte Instanz 167

J

Ja, schon. 6
Jacke: Das ist mir Jacke wie Hose. 80
Je nachdem. 66
Jein. 4

K

Kalender: Da werde ich den Tag im Kalender rot anstreichen. 132
kalt: Es ist mir kalt. 68
Kanone:
   Das war unter aller Kanone. 78
   Du schießt mit Kanonen auf Spatzen. 54
kapiert: Hast du's kapiert? 18
Karte:
   Ich habe alles auf eine Karte gesetzt. 185
   Ich lasse mir nicht in die Karten sehen. 189
   Wir spielen mit offenen Karten. 154
Kater: Ich habe einen Kater. 123
Katze:
   Die ganze Arbeit war für die Katz. 187
   Ich habe die Katze aus dem Sack gelassen. 190
Kauf: Das muss man in Kauf nehmen. 93
Kehle: Bekomm meine Worte nicht in die falsche Kehle. 97
kennen: Das kenne ich. 121
Kinderspiel: Das ist ein Kinderspiel. 152
Klar! 4
Klein, aber oho. 167
Kleinvieh: Kleinvieh macht auch Mist. 169
Klemme: Ich saß in der Klemme. 48
klipp und klar:
   Du solltest es ihm klipp und klar sagen. 97
Komisch. 35
kommen:
   Das durfte nicht kommen. 48
   Ich bin wieder darauf gekommen. 28
   Wie kommst du darauf? 25
   Wer zuerst kommt, mahlt zuerst. 126

Wie kommt man zum Bahnhof? 126
Kopf:
  Behalte den Kopf oben! 104
  Das solltest du dir aus dem Kopf schlagen. 96
  Ich bin nicht auf den Kopf gefallen. 82
  Ich habe den Kopf verloren. 49
  Ich zerbreche mir den Kopf. 53
  Kopf hoch! 102
  Sie geht mir nicht aus dem Kopf. 83
  Sie hat dir den Kopf verdreht. 143
  Wasch ihr den Kopf! 88
  Wir haben den Kopf nicht hängen lassen. 60
Korb: Ich habe einen Korb bekommen. 141
kosten: Was kostet das? 120
Kuckuck:
  Hol dich der Kuckuck! 46
  Das weiß der Kuckuck. 23
Kugel: Man kann eine ruhige Kugel schieben. 158
Kuh: Ich stand da wie die Kuh vorm neuen Tor. 62
kurz:
  Kurz gesagt, 7
  Machen Sie es bitte kurz und schmerzlos! 159

L

lachen:
  Dass ich nicht lache. 44
lächeln: Bitte lächeln! 117
Land: Andere Länder, andere Sitten. 170
Last: Ich möchte dir nicht zur Last fallen. 129
Latein: Ich bin mit meinem Latein am Ende. 59
Laufpass: Ich habe ihm den Laufpass gegeben. 144
läuten: Ich habe auch davon läuten hören. 178
Lehrgeld:
  Jeder zahlt Lehrgeld. 104
leisten: Das kann ich mir nicht leisten. 128
Leitung: Du hast aber eine lange Leitung. 177
Licht: Jetzt geht mir ein Licht auf. 29
lieb:
  Es ist sehr lieb von dir. 30
Liebe:
  Es war Liebe auf den ersten Blick. 146
  Ich leide unter unerwiderter Liebe. 142
  Liebe geht durch den Magen. 139
Lieber nicht. 118
Lied:
  Es ist das alte Lied. 172
  Ich weiß ein Lied davon zu singen. 111
liegen:
  Das liegt mir nicht. 71
  Das liegt nicht an dir. 108
  Es liegt mir viel daran. 76
lockerlassen: Du darfst nicht lockerlassen. 105
los:
  Was ist los mit dir? 28
  Mit dir habe ich das große Los gezogen. 148
Luft:
  Die Luft ist rein. 135
  Du kannst deinem Herzen Luft machen. 110
lügen: Du lügst, dass sich die Balken biegen. 186
lustig:
  Das kann ja lustig werden. 50
  Mach dich über mich nicht lustig! 91

M

Magen: Das liegt mir schwer im Magen. 56
Mann:
  Ein Mann, ein Wort. 170
  Ich weiß mich an den Mann zu bringen. 162
mäßig 65
Meinetwegen. 3
meinen:
  Was meinst du damit? 21
  Was meinst du dazu? 68
Meinung:
  meiner Meinung nach 67
Miene: ohne die Miene zu verziehen 53
Missverständnis: Das ist ein Missverständnis. 69
mögen:
  Magst du mich? 134
  Mag sein. 7
Mond:
  Du lebst hinter dem Mond. 171
  Wer sich nicht behauptet, muss in den Mond gucken. 98
Mücke: Man soll nicht aus einer Mücke einen Elefanten machen. 98
Mund:
  Du hast dir den Mund verbrannt. 181
  Halt den Mund! 87
Muskelkater: Ich habe einen Muskelkater. 124

N

Na, siehst du. 16
Na, und? 12
nach:
  Er ist in dich verknallt. 138
Nagel:
  Du hast den Nagel auf den Kopf getroffen. 32
  Kannst du deine Stelle an den Nagel hängen? 164
Narr: Sie halten uns zum Narren. 52
närrisch: Bist du närrisch! 41
Nase:
  Das liegt ja vor deiner Nase. 182
  Ich habe die Nase voll. 50
Natürlich. 5
Nerv:
  Es ging mir auf die Nerven. 54
  Hast du nur deswegen die Nerven verloren? 58
Nest:
  Du solltest dein eigenes Nest nicht beschmut-

zen. 185
Ich möchte mir mein eigenes Nest bauen. 148
nichts:
Da ist nichts zu machen. 107
Ich will mit ihm nichts mehr zu tun haben. 62
Nichts für ungut! 86
Nichts passiert. 12
Nichts zu danken. 17

O

Ohr:
Du sitzt wohl auf den Ohren? 181
Halte die Ohren steif! 105
Ich habe mir die Nacht um die Ohren geschlagen. 132
Spitzt du die Ohren? 169
Öl: Du gießt Öl ins Feuer. 176
Ordnung:
Alles in Ordnung. 151

P

Pantoffel: Du stehst ja unter dem Pantoffel. 145
Partie: Ich möchte eine gute Partie machen. 145
passieren:
Ist dir was passiert? 106
Pauke: Ich bin mit Pauken und Trompeten durchgefallen. 187
Pech: Wir hatten Pech. 40
peinlich:
Es ist mir peinlich. 47
Perle: Da wirfst du Perlen vor die Säue. 183
Pferd:
Ich arbeite wie ein Pferd. 153
Sie sind das beste Pferd im Stall. 162
Keine zehn Pferde bringen mich dazu. 80
pleite: Ich bin pleite. 120
Professor: Du bist ein zerstreuter Professor. 174
Prost! 116
Punkt: Die Diskussion ist an einen toten Punkt gekommen. 163

Q

Quatsch! 36

R

Rad:
Er kommt unter die Räder. 174
Ich bin das fünfte Rad am Wagen. 160
Rechnung:
Du hast die Rechnung ohne den Wirt gemacht. 188
Verlangen wir die Rechnung. 123
Reibach:
Wie könnte ich einen Reibach machen? 159
richtig: Ich habe den Richtigen gefunden. 140
Rolle: Die Erfahrung spielt eine große Rolle. 156
Rosine: Ich habe mir die Rosinen aus dem Kuchen gepickt. 193
Ruhe: Lass mich in Ruhe! 87

S

Sache:
Ich war nicht ganz bei der Sache. 31
Sachen gibt's! 38
sagen:
Sag mal, 11
Sag schon! 86
Wie soll ich sagen, 25
Was du nicht sagst! 44
Gesagt, getan. 166
Leichter gesagt als getan. 170
Sand:
Sie haben uns Sand in die Augen gestreut. 191
Sardine: wie Sardinen in der Büchse 178
satt: Ich habe es satt. 46
Sattel: Sie sitzen fest im Sattel. 154
sauer: Wieso bist du auf ihn sauer? 55
Saus: Wir lebten in Saus und Braus. 127
schade:
Schade! 24
Wie schade! 39
schlafen: Darüber will ich noch schlafen. 77
Schlag:
Das war ein Schlag ins Wasser. 181
Ich war wie vom Schlag gerührt. 55
Schlange: Die Leute stehen Schlange. 125
Schlusslicht: Wir sind das Schlusslicht. 123
schmecken:
Das schmeckt nach mehr. 124
Es schmeckt interessant. 121
Schnitzer: Ich habe einen Schnitzer gemacht. 175
Schritt:
Kannst du mit dem Unterricht Schritt halten? 32
Schuh: Wo drückt dich der Schuh? 107
Schuld:
Das ist meine Schuld. 71
Einer schiebt dem anderen die Schuld in die Schuhe. 193
Selber Schuld. 166
Schulter:
Warum zeigst du mir die kalte Schulter? 147
Schuppe: Es fällt mir wie Schuppen von den Augen. 61
Schwarm:
Er ist mein Schwarm. 136
schwarz: Dort steht es schwarz auf weiß. 182
Schwarze: Damit hast du ins Schwarze getroffen. 31
sehen:
Lange nicht gesehen. 16
Seite: Das ist meine schwache Seite. 76
Seitensprung: Hast du schon mal einen Seitensprung

gemacht? 147
Semmel: Sie gingen weg wie warme Semmeln. 158
Sicher! 2
Sicher ist sicher. 151
sitzen: Bitte lass mich nicht sitzen! 138
Sitzfleisch: Du hast kein Sitzfleisch. 153
So ist es. 15
Socke: Ich muss mich schon auf die Socken machen. 130
Sorge: Keine Sorge. 102
Spaß: Viel Spaß! 116
spät: Du bist spät dran. 122
Spieß: Ich kehre den Spieß um. 79
Sporen: Sie haben sich die Sporen verdient, nicht wahr? 163
spottbillig: Das war spottbillig. 120
Sprache: Das verschlägt mir die Sprache. 50
stehenbleiben: Wo bin ich stehen geblieben? 27
Stein: Mir fällt ein Stein vom Herzen. 55
Stelle: An deiner Stelle würde ich das nicht tun. 84
Stich: Lass mich bitte nicht im Stich! 91
stimmen: Das stimmt. 13
Strang: Wir ziehen gern am gleichen Strang. 159
Stücke: Er hält große Stücke auf Sie. 156
Stuhl: Ich würde dir den Stuhl vor die Tür setzen. 164
Super! 34
Süßholz: Du raspelst Süßholz. 134

T

Tag: Ich habe heute einen schwarzen Tag. 57
Techtelmechtel: Mit wem hast du ein Techtelmechtel? 143
Teufel:
Male den Teufel nicht an die Wand! 95
Du gerätst in Teufels Küche. 173
Tinte: Dann würde ich selber in der Tinte sitzen. 61
Toi toi toi! 103
Toll! 64
Ton: Sie sollten den Ton angeben. 154
Topf: Du sollst nicht alle in einen Topf werfen. 96
träumen: Das hätte ich mir nicht träumen lassen. 59
treffen: Das trifft sich gut. 45
trocken: Sitzt du auf dem Trockenen? 178
Tropfen: Das ist ein Tropfen auf den heißen Stein. 190
Trübsal: Warum bläst du Trübsal? 107
Tür: Neujahr steht vor der Tür. 127
Kehre erst vor deiner eigenen Tür. 94

U

überhören: Ich hab's überhört. 20
überlegen: Das solltest du dir gut überlegen. 93
Lass mich überlegen. 19
übrig: Ich habe für ihn viel übrig. 145
Unmöglich! 34
Umstand: Mach bitte keine Umstände! 125
unter Umständen 13
Und dann? 10
Unverschämt! 36
Ursache: Keine Ursache! 150

V

verbunden: Falsch verbunden. 150
Verdächtig. 36
verliebt: Hast du dich in sie verliebt? 144
versöhnen: Wollen wir uns versöhnen? 135
verspäten: Hatte dein Zug Verspätung? 126
versprechen: Versprochen ist versprochen. 118
verwöhnen: Sie ist verwöhnt! 43
Vogel: Du hast einen Vogel. 45
vorkommen: Das kann schon vorkommen. 23
Vorschlag: Das war mein Vorschlag. 152

W

wahr: Das darf doch nicht wahr sein! 54
Ist es wahr? 19
Nicht wahr? 9
wahrscheinlich 5
warm: Wie kann ich mit ihm warm werden? 146
warten: Da kannst du lange warten. 77
Wasser: Der Plan ist ins Wasser gefallen. 157
Ich kann ihm nicht das Wasser reichen. 161
Mir läuft das Wasser im Munde zusammen. 128
Weg: Möchten Sie Ihren Weg machen? 155
Wein: Es ist besser, dass du ihnen reinen Wein einschenkst. 99
Welt: Die Welt ist doch klein. 173
wenn: Wenn es sein muss. 21
Wenn nicht, dann nicht. 23
Wenn schon, denn schon. 72
werden: Wird schon werden. 104
Widerwille: mit Widerwillen 39
wie: Und wie! 14
Wie ist dein Name? 22
wieder: Schon wieder? 37

Wimper: ohne mit der
   Wimper zu zucken   182
Wind: Weil du meinen Rat in
   den Wind geschlagen
   hast.   192
Wirklich?   2
wissen:
   Du weiß ja,   15
   Ich würde gern wissen,   152
   Ich weiß nicht, wie ich es
     ausdrücken soll.   83
   Wer weiß?   10
   Weißt du was?   18
   Nicht, dass ich wüsste.   21
   Woher weißt du das?   24

Wo bin ich?   119
wohl: wohl oder übel   20
Wolke: Ich fiel aus allen
   Wolken.   51
wollen: Wollen wir einkaufen
   gehen?   124
Wort:
   Ein Wort gab das andere.   173
   Mir bleibt das Wort im
     Hals stecken.   58
   Mir liegt das Wort auf der
     Zunge.   31
Wörtchen: Ich muss mit dir
   ein Wörtchen reden.   95

Z
Zeit:
   Die Zeit vergeht wie im
     Fluge.   180
   Es ist höchste Zeit.   72
   Ich habe die Zeit
     totgeschlagen.   177
   Kommt Zeit, kommt
     Rat.   106
Zeug: Ich muss mich tüchtig
   ins Zeug legen.   160
zurückkommen:
   Um wieder darauf
     zurückzukommen.   24

INDEX 日本語索引

あ
ああよかった！ 40
あいつが君に色目をつかっている。 137
あいつなんか勝手にしろ。 57
あ、思い出した。 28
あきらめるな。 105
悪循環だ。 180
あげくの果て 168
あこがれの人だ。 136
あたふたと 167
頭がおかしいよ。 45
頭から離れない。 83
あたりまえだよ。 4
厚かましい 38
厚かましいにもほどがある。 60
あった。 9
あっちへ行け！ 46
当てがはずれちゃったね。 188
あなたが仕切ってください。 154
あなたの右腕はだれですか？ 155
あなたは安泰です。 154
あなたは一番優秀な働き手です。 162
あの頑固者め！ 38
あの二人は犬猿の仲だ。 189
甘いことばで言い寄る。 134
ありえない！ 34, 42, 54
ありえますよ。 23
ありがとう、あなたもね。 12
あんなに楽しみにしてたのに。 131

い
いいお友だちのままでいられるかな？ 141
いいかげんに言ってよ。 86
いいからいいから、だいじょうぶ。 71
いいこと思いついた。 76
いいとこ取りしちゃった。 193
いいなあ！ 35
言いにくいことを平気で言うね。 185
言いふらしちゃだめだよ。 99
いいよ。 3
言うは易し、行うは難し。 170
意外だなあ。 51

いかにも君らしい。 73
いくらですか？ 120
意見を隠さないで！ 113
急がなくちゃ。 131
急がばまわれ。 166
痛い目にあうよ。 94
いただきます。 117
いちかばちかやってみた。 185
一心同体だ。 147
一石二鳥だ。 184
いったいどうしたの？ 28
一朝一夕に 168
いつもあなたのこと考えてる。 139
いつも牛耳りたがる。 188
今思いついたんだけど。 26
いやだけどしかたない。 80
いやならいいよ。 23
いらいらした。 54

う
うさんくさいな。 36
疑う余地は何もない。 81
うちの遺伝なんだ。 172
有頂天だね。 56
うっぷんを晴らせるよ。 110
うまく言えないんだけど。 83
うまくいきますように！ 103
売りことばに買いことば。 173
浮気したことある？ 147
うわの空だった。 31
うんざりだ。 46

え
駅へはどう行ったらいいですか？ 126
縁起でもないこと言わないで。 95
遠慮なく言って！ 113

お
大あわてで 167
大忙しです。 161
大げさだなあ。 54
大騒ぎだ。 175
大目に見てあげるよ。 171
お金に困ってるの？ 178
おかまいなく。 125
おかわりたいほどおいしい。 124

お勘定を頼もう。 123
怒らないで！ 90
教えていただきたいのですが、 152
遅いよ。 122
お大事に！ 103
落ちぶれる。 174
お疲れさま！ 150
お手上げだった。 75
お手のものです。 156
男心をとらえるのはおいしい手料理。 139
驚いてことばも出ない。 50, 58
驚いてぼう然とした。 55
同じことのくり返しだ。 172
お名前は？ 22
お願いがあるんだけど。 92
お願いだよ。 88
お払い箱にした。 144
おめでただ。 137
おめでとう！ 116
思い過ごしだよ。 75
思い出した。 9
思い違いだよ。 74
お安いご用です。 152
終わりよければ、すべてよし。 168

か
買い物に行こうか？ 124
顔色一つ変えず 53
かけ間違えました。 150
片思いで悩んでいる。 142
がっかりだ。 41
かっこいい！ 64
彼女に首ったけだね。 143
彼女にほれ込んじゃったの？ 144
かまわないよ。 3
からかわないでよ！ 90, 91
彼が好きだ。 145
彼と親しくなるにはどうしたらいいかな？ 146
彼とはもう関わりあいたくない。 62
彼にはっきり言ったほうがいいと思うな。 97
彼の代わりを務めてくれませんか？ 162
彼はやめておけ。 136

彼らに本当のことを言ったほうがいい。	99
彼を怒らせちゃった。	58
変わりない。	16
乾杯！	116
がんばって。	108
がんばれ！	105

き

聞いてもいいですか？	22
気が重い。	56
気がついたよ。	22
気が動転した。	49
聞きたいんだけど、	11
聞きのがした。	20
危機は脱しました。	157
聞き耳を立ててるの？	169
期待してもむだだ。	77
期待はずれの結末	168
厳しく注意しなさい。	89
厳しく注意しなよ！	88
君がよければ。	79
君次第だ。	73
君に言い寄っているね。	137
君にぞっこんだ。	138
君のことが大好きになった。	144
君のせいじゃないよ。	108
君を選んで良かった。	148
肝に銘じた。	82
ぎゅうぎゅう詰めで	178
今日はついてない。	57
行列ができてる。	125
議論は行き詰まった。	163
金欠なんだ。	120
筋肉痛だ。	124

く

くじけるな！	104
くたばっちまえ！	46
くよくよしないで。	112
苦労が全部むだだった。	187

け

計画は水泡に帰した。	157
経験がものを言います。	156
結局同じことだ。	171
元気出して！	102

こ

恋人が浮気したんだって。	142
こういうのがはやってるんだ。	119
公明正大にことを進めています。	154
誤解しないで。	97
誤解だよ。	69
ご家族にどうぞよろしく！	26
ここはどこですか？	119
心得ています。	153
試みは失敗に終わった。	157
五十歩百歩だ。	171
ご親切にありがとう。	30
誇張すべきじゃない。	98
こちらこそ。	8
こととと次第によっては。	66
細かいことには目をつぶらないとね。	92
困ったことになるよ。	173
ごやっかいになるのは申し訳ない。	129
怖がらないで！	102

さ

さすがだね！	37
さっきの話だけど。	24
さっぱりわかりません。	8
ざまあ見ろ。	43
寒い。	68
残念！	24

し

幸せにしてくれる？	140
潮時だ。	72
しかたがないとあきらめなくちゃ。	90
しかたないな。	21
しかたないよ。	74
しかたなく	20
自業自得。	166
自己主張しない人は、損をする。	98
仕事に根気がないねえ。	153
仕事をサボったの？	151
仕事を放棄できるの？	164
自己PRは完璧です。	162
事情によっては	13
時代遅れだね。	171
じっくり考えたほうがいい。	93
失言しちゃったね。	181
知ってるでしょ。	15
失敗は成功の元。	108
失礼なことを言っちゃったね。	176
しぶしぶ	39
じゃあ、予定に入れておく	
ね。	132
邪魔者はいない。	135
授業についていけてる？	32
出世したいですか？	155
性に合わない。	71
助言を聞かなかったからね。	192
しょんぼりしないで。	111
尻に敷かれてるね。	145
新婚ホヤホヤだ。	139
信じがたい。	41
信じられない！	42
心配しないで。	102
信頼できる人の手にあります。	155

す

ずうずうしい！	36
すぐにあきらめるんだね。	188
すごい！	34
すごいことがあるもんだ！	38
すごくいい！	64
すごく困った。	48
すぶといね。	172
図星だ。	31, 32
するべきことをしてからお楽しみ。	128

せ

成功を祈ってるよ。	108
せいぜい。	72
贅沢三昧した。	127
贅沢だな！	43
正反対だ	13
世間は狭い。	173
絶対いやだ。	66, 80
全力でとりかからなきゃ。	160

そ

そう言われるとそうだね。	26
そうかもね。	7
そうか、わかった！	29
そうだといいけど。	4
そうなんだよ。	15
そこにちゃんと書いてある。	182
そのことば、もう少しで思い出せそうなんだけど。	31
その仕事は先延ばししないでください。	164
そのとおり！	3, 13
それが問題なんだ。	179
それからどうしたの？	10

INDEX 203

それは絶対確かだ。	78
それはどうしようもないね。	107
それはまだわからない。	81
それは目をつぶらなくちゃ。	93
それはよかった。	49
それ本当？	19
そんな気がしてたんだ。	70
そんなことされたら困る。	61
そんなこと知らないよ。	23
そんなことはございません。	21
そんなことはとっくに忘れられた。	175
そんなばかな！	36
そんなはずじゃなかったのに。	48
そんなもんじゃないよ。	73

た
大混乱だ。	175
だいじょうぶです。	12
たいへん！	37
高く買われてるんですね。	156
だからどうしたの？	12
抱きしめたい。	146
たったそれだけのことでカッとなったの？	58
たとえば何？	18
だと思うでしょ？	6
楽しんできてね！	116
たぶん	5
食べきれないほど取っちゃった。	129
食べたくてよだれが出る。	128
食べに行こうか？	118
だまされた。	191
だまって！	87
玉の輿にのりたい。	145
だれがそんな気にさせたの？	32
だれとこっそり付き合ってるの？	143
だれの番？	119

ち
小さくてもすごい。	167
チャンスを逃さないで！	109
ちょうどよかった。	45
超安かった。	120
ちょっと来て！	86
ちょっとだけ。	7
ちょっと見て！	11
ちょっと考えさせて。	19
ちりも積もれば山となる。	169

つ
ついてた。	39
ついてなかった。	40
ついでに片づけられる。	177
つまり	7, 14
鶴の一声	167

て
提案は以上です。	152
手柄を立てたんですって？	163
てこでも動くものか。	80
でしょ？	9
手伝ってくれる？	91
徹夜した。	132
手のうちは明かさない。	189
手短に言うと	7
手短にお願いします。	159
電車が遅れたの？	126
天にものぼる気持ちだ。	53

と
どういう意味で言ってるの？	21
どういたしまして。	150
どう思う？	68
どうかあしからず。	86
同感！	29
どうしてがっかりした顔をしてるの？	109
どうして彼に腹を立ててるの？	55
どうしてつれないの？	147
どうしてわかったの？	25
同時に２つのことには参加できない。	161
どうにか難を逃れたね。	113
どうもすみません。	17
どうやったらボロもうけできるかなあ。	159
遠回しに言わないで。	110
時が経てば知恵も浮かぶ。	106
時の経つのは早い。	180
特別扱いはしてもらいたくない。	183
独立しようと思うんだ。	148
どこで聞いたの？	24
どこまで話したっけ？	27
所変われば、品変わる。	170
どちらとも言える。	4
どっちでもいい。	69
とてもひどかった。	78
飛ぶように売れました。	158
途方に暮れた。	62
途方に暮れている。	59

鳥肌が立ってるよ。	169
とんでもない	13, 15

な
ないとは言えないよ。	70
仲直りしようか？	135
仲良く協力して働いている。	159
何言い出すの！	44
何かあったの？	106
何がなんでも。	66
何も聞こえないんだね。	181
何もしない。	174
何もしないで時間をつぶした。	177
悩みの原因は何？	107
悩んでるんだ。	53
何て言うか、	25
なんで知ってるの？	25
なんでふさぎこんでるの？	107
何でもかんでも我慢しないほうがいい。	112
何とかなるよ。	104
何にでも手を出すんだね。	183
何にでも文句を言うんだね。	192
何の収穫もないのはいやだ。	79
何の話ですか？	11

に
苦手なんだ。	76

ね
ねえ、聞いてる？	24
ねえ、どうかな？	18
猫にかつおぶしの番をさせる。	184
寝た子を起こすな。	94
念には念を入れて。	151

の
のみ込みが遅いねえ。	177

は
場合による。	70
はい、笑って！	117
バカなふりをするな。	100
白状することがあるんだ。	142
馬車馬のごとく働いている。	153
恥ずかしい。	42, 47
抜群な	64
歯にきぬ着せないで。	111

ハネムーン中だ。	139
早いもの勝ち。	126
腹ペコだ。	122
万事 OK です。	151

ひ
久しぶり。	16
びっくり仰天した。	51
ひとこと言わなきゃならないことがある。	95
一晩中遊び明かした。	132
一晩よく考えたい。	77
一目ぼれだった。	146
人をバカにしている。	52
火に油を注ぐ。	176
秘密をばらしてしまった。	190

ふ
無愛想でそっけなかった。	47
ふさわしい人をみつけた。	140
不思議な味だ。	121
武士に二言なし。	170
豚に真珠。	183
二人だけで話せる？	30
二日酔いだ。	123
ふられた。	141
プロポーズのことばは何だったの？	135

へ
平然と	53, 182
へえ、びっくり！	41
ヘトヘトだ。	49
変だな。	35

ほ
ボーッとしてて聞き逃した。	31
僕たちはビリだ。	123
僕だったらクビにするよ。	164
僕の妻になってくれますか？	140
ほこ先を変えよう。	79
ほっといて。	87
ほっときなよ。	89
ホッとした。	49, 55
仏頂づらしてるね。	62
ほら、やっぱり。	16
本気？	20
ほんと？	2
本当にそのとおりなんだ。	14
ぼんやりしてるね。	174

ま
まあ、そうなんだけど。	6
まあまあ	10, 65
まさにそうなんです！	5
まずは自分の心配をしなよ。	94
また？	37
まだいくつか策があります。	160
また元気になったよ。	29
間違いない。	78
まっかなうそをつくんだね。	186
まったくだよ。	14
まるっきり合わない。	82

み
身内の悪口は言わないほうがいい。	185
ミスしちゃった。	52, 175
見捨てないで！	91
水を得た魚のように元気だ。	191
身の毛がよだつ。	56
見ものだね。	50
みんないっしょくたにしちゃだめだよ。	96
みんな失敗して学ぶ。	104
みんな罪をなすりつけあっている。	193

む
虫のいどころが悪いんだね。	61
むだだった。	181
むだだよ。	87
むだ遣いだよ。	130
むだ骨だった。	179
胸のうちを打ち明けてよ。	109
胸のつかえがおりた。	55
無理だ。	67

め
目が点になってたよ。	52
目からうろこ。	61
召し上がれ。	117
目の上のたんこぶだ。	186
目の前にあるよ。	182

も
もううんざり。	50
もうすぐお正月だ。	127
もうすぐ結婚する。	143
もちろん。	2, 3, 5
もったいない！	39

ものの見事に落ちる。	187
問題外だ。	77

や
やいてるの？	134
約束だよ。	118
焼け石に水だ。	190
やっとのことで	47
やっとわかった。	27
やめときなよ。	96
やめとくよ。	118
やめろ！	46
やるならとことんだ。	72

ゆ
勇気を出して！	105
有言実行。	166
夢にも思わなかった。	59

よ
よく言うよ。	44
よせよ、とんでもない。	45
酔っちゃった。	121
酔ってない！	125
喜びは分かつと倍になる。	127
喜んで。	8

ら
楽な仕事をすることができる。	158

り
了解。	2

る
類は友を呼ぶ。	180

れ
礼にはおよびません。	17

わ
わかった。	9
わかった？	18
わかるもんか。	10
忘れっぽいの。	186
私が思うに、	65
私たちはへこたれなかった。	60
私だったらやめておく。	84
私と結婚してくれますか？	136
私にとって重要だ。	76
私には同じことだ。	80
私には買えないな。	128
私には関係ない。	75

私にも同じ経験がある。 111	私は彼の足元にも及ばない。 161	私も小耳にはさんだよ。 178
私の意見は 67		私もわからなくてあれこれ考え
私のこと好き？ 134	私はばかじゃない。 82	ている。 78
私のことに干渉しすぎよ。 148	私は役に立ちません。 160	私を捨てないで！ 138
私のせいです。 71	私も行ったことある。 121	笑わせるね。 44
私の場合、 68	私もう行かなくちゃ。 130	

〈著者紹介〉

滝田佳奈子（たきた かなこ）
慶應義塾大学文学部卒業（独文学専攻）。慶應義塾大学大学院修了（独語学専攻、専門は造語論）。その間に随時ドイツ語通訳案内士として従事。1988～1991年ベルリン自由大学日本語教材開発研究所に勤務。1991年～慶應義塾大学講師。著書に『ドイツ語会話パーフェクトブック』（ベレ出版）、『本気で学ぶドイツ語』（ベレ出版）、『Grundwortschatz Japanisch』（共著、Buske出版）、訳書に『壁の上の最後のダンス』（ロバート・ダーントン著、共訳、河出書房新社）など。

気持ちが伝わる！ドイツ語リアルフレーズBOOK［新装版］

2025年10月31日　初版発行

著者
滝田佳奈子（たきた かなこ）
© Kanako Takita, 2025

発行者
吉田尚志

発行所
株式会社　研究社
〒102-8152　東京都千代田区富士見2-11-3
電話　営業(03)3288-7777(代)　編集(03)3288-7711(代)
振替　00150-9-26710
https://www.kenkyusha.co.jp/

KENKYUSHA
〈検印省略〉

印刷所
TOPPANクロレ株式会社

装幀・中扉デザイン
Malpu Design（清水良洋）

装画・中扉挿画
トヨクラタケル

本文デザイン
株式会社インフォルム

校正
清水薫

ISBN 978-4-327-39445-5　C0084　Printed in Japan

本書の無断複写複製（コピー）は、著作権法上での例外を除き、禁じられています。また、私的使用以外のいかなる電子的複製（電子データ化、電子書籍化）も一切認められていません。落丁本、乱丁本はお取替えいたします。ただし、中古品はお取替えできません。